수의사
어떻게
되었을까
?

꿈을 이룬 사람들의 생생한 직업 이야기 36편

수의사 어떻게 되었을까?

1판 1쇄 찍음 2021년 09월 24일
1판 2쇄 펴냄 2022년 06월 28일

펴낸곳	㈜캠퍼스멘토
책임 편집	이동준 · 북커북
진행 · 윤문	북커북
연구 · 기획	오승훈 · 이사라 · 박민아 · 국희진 · 김이삭 · ㈜모야컴퍼니
디자인	㈜엔투디
마케팅	윤영재 · 이동준 · 신숙진 · 김지수
교육운영	문태준 · 이동훈 · 박홍수 · 조용근
관리	김동욱 · 지재우 · 임철규 · 최영혜 · 이석기 · 임소영
발행인	안광배

주소	서울시 서초구 강남대로 557 (잠원동, 성한빌딩) 9층 ㈜캠퍼스멘토
출판등록	제 2012-000207
구입문의	(02) 333-5966
팩스	(02) 3785-0901
홈페이지	http://www.campusmentor.org

ISBN 978-89-97826-79-7(43490)

현직
수의사들을
통해 알아보는
리얼 직업
이야기

수의사
어떻게

How did they become veterinarians?

되었을까?

CampusMentor
캠퍼스멘토

"도움을 주신 수의사들을 소개합니다"

송서영 수의사

- 현) 고운동물병원 원장
- 현) 대전 엑스포 아쿠아리움/ 해피쥬/
  와우주 촉탁수의사
- 24시 대전동물의료센터 부원장
- 테크노연합동물병원 원장
- 석적동물병원 원장
- 로하스동물병원 부원장
- 한국공항(대한항공) 전임수의사
- 동물위생시험소 전염병/병성감정 전임수의사
- 충북대학교 수의과대학 졸업/ 석사과정수료

이영란 수의사

- 현) 세계자연기금(WWF) 한국본부 해양보전팀장
- 현) 건국대 수의학과 겸임 교수 (야생동물의학)
- 미국 해양포유류센터 연수
- 롯데월드 아쿠아리움 근무
- 국립수산과학원 고래연구소 초빙연구원
- 동물병원 소동물 임상수의사 (10년간)
- 서울대학교 수의학과 박사 수료
- 부경대 해양생물학과 석사
- 건국대학교 수의학과 졸업

이하늬 수의사

- 현) 서울동물원 진료수의사
- 에코특수동물병원 진료수의사
- 강원대 야생동물구조센터 진료수의사
- 강원대 야생동물학 석사 졸업
- 건국대 수의학과 졸업
- 뉴욕주립대 생명과학과 졸업
- 건국대 동물생명과학과 졸업
- '지구별야생동물탐방기'', '나혼자 야생동물탐방',
  '레서판다도 스케일링을 한다' 작가

김영인 수의사

- 현) 한국마사회 진료 및 백신접종 담당 수의사
- 수의장교로 복무
- 미국 수능(SAT) 강사로 4년간 근무
- 건국대학교 수의대 학사
- 미국 Washington University in St. Louis 생물학과 졸업

이라미 수의사

- 현) (주)베츠 대표, 제품개발 총괄
- 풀무원 아미오 런칭 및 상품개발 담당
- 분당 행복이 있는 동물병원 부원장
- 네도딘벳랩 임상병리실 실장
- 힐스총판 성보사이언스 학술마케팅 수의사
- 인천 연수동물병원 진료수의사
- 안양 수동물병원 인턴수의사
- 전남대 수의과대학 수의학과 학사

김소연 수의사

- 현) 우리동물메디컬센터 내과 원장
- 서울대학교 응급수의학회 회원
- 센트럴동물메디컬센터 내과 과장
- 서울대학교 수의과대학원 내과 진료수의사
- 서울대학교 수의과대학원 수의 내과학 석사
- 전남대학교 수의과대학 수석졸업

이 책의 구성

Chapter 2

수의사의 생생 경험담

Chapter 3

예비 수의사 아카데미

수의사,

어떻게
되었을까
?

수의사란?

—
수의사는

동물의 보건과 환경 위생 및 각종 질병 예방과 진료는 물론,
인수 공통 전염병의 예방과 진료를 하는 의사.

수의사는 대학에서 수의학을 전공하여 수의학사 학위를 취득한 후 국가시험에 합격하여 농림축산식품
부 장관의 면허를 받은 자를 이른다. 수의사 자격 획득 뒤에는 개인적으로 개업을 하거나 공무원으로
취업할 수도 있고, 대학이나 연구소에서 교육이나 연구에 임할 수 있다.

수의사의 주업무는 과거에는 전염병이나 질병의 진단, 치료에 주력하였으나 사회 문화적 환경의 변화
와 급격한 경제성장에 따라 새로운 동물진료기술의 개발 및 가축생산기술의 향상, 야생 및 수생동물의
보전, 생명과학연구에 필수적인 실험동물에 관한 연구, 축산식품을 비롯한 각종 식품의 안전성 확보,
인수 공통 전염병의 예방 및 환경보호를 통한 인류보건의 향상, 의약품 및 신물질 개발 등에 대한 생명
공학기법의 개발에 이르기까지 그 영역이 광범위하게 확대되었다.

출처: 한국민족문화대백과, 한국학중앙연구원

수의사가 하는 일

- 수의사는 개나 고양이 같은 소동물(반려동물), 소나 돼지 같은 대동물(산업동물), 물고기나 어패류 같은 수생동물까지 질병과 상해를 예방, 진단, 치료하고 이를 위해 연구하고 자문한다.

- 아픈 동물을 대상으로 기존의 병력과 진찰, xray 및 초음파 등의 각종 검사를 통해 질병의 원인을 진단하고 그에 따른 처방 및 치료를 한다.

- 동물의 분만을 돕거나 외과수술도 시행한다.

- 광견병이나 조류독감, 돼지콜레라, 광우병 등의 동물 질병에 대한 역학조사를 하고, 축산농가의 위생을 관리하여 질병을 예방한다.

- 시중에 유통되는 육류, 우유, 계란 등 다양한 축산물에 대해 검사와 수입 통관되는 축산물에 대해 검역을 한다.

- 동물원의 동물과 수족관의 수생동물 등 각종 동물의 영양상태를 관리하고 이들의 번식 및 사육, 질병과 관련하여 일하기도 한다.

- 연구를 위해 길러지는 실험동물을 관리한다.

출처: 커리어넷

수의사 직업에 대한 전망

향후 10년간 수의사의 고용은 증가할 것으로 전망된다. 매년 10개 대학에서 수의학을 공부하고 신규로 면허를 취득하는 수의사가 배출된다. 농림축산 검역본부에 의하면 수의사 면허취득자 수는 2018년 548명, 2017년 569명, 2016년 589명으로, 최근 3년간 연평균 약 569명의 수의사가 배출되었다.

1인 가구, 고령인구가 증가하면서 개나 고양이 등 반려동물에게서 정신적 위안을 얻으려는 사람이 늘고 있다. 자연스럽게 동물에 관한 관심과 인식이 높아지고 있고, 반려동물 및 소유자를 등록하여 책임의식을 높이고 인수공통전염병을 예방하기 위한 예방접종이 의무화되고 있다. 이에 따라 반려동물에 대한 예방접종, 치료, 분만, 건강관리, 수술 등을 담당하는 수의사의 수요는 지속적일 것으로 보인다.

최근에는 조류인플루엔자나 광우병 등 사람에게도 전염될 수 있는 동물 질병에 대한 검역, 방역이 중요해지고 있다. 동물 질병이 국경을 넘어 전염되고 그 범위도 넓어지면서 인명에까지 영향을 미침에 따라 이에 대한 예방과 방역 작업을 위한 인력 수요가 증가할 것으로 보인다. 또한, 먹을거리에 관한 관심이 높아지면서 안전한 축산물 먹거리 공급을 위해 위생관리를 담당하는 수의직 공무원이 다소 증가할 가능성이 있다.

◆ 수의사 증가요인

전망요인	증가요인	감소요인
인구구조 및 노동인구 변화	저출생, 고령인구 증가	
가치관과 라이프스타일 변화	반려동물 문화의 확대	
산업특성 및 산업구조 변화	글로벌화에 따른 검역업무 증가	
환경과 에너지	생태계 보존 필요성 증가 조류독감 등 동물관련 질병 증가	
법,제도 및 정부정책	말 산업 육성정책	

동물의 보호 및 복지에 대한 사회적 인식도 향상되고 있다. 대형종합병원과 관련 기업체를 중심으로 국내의 실험동물 시설이 증가하고 있는 등 실험동물 산업이 발전하고 있다. 실험동물에 대한 윤리적인 차원의 관리를 강화하도록 실험동물 복지 및 동물실험과 관련된 각종 법규가 개정되어 수의사의 역할이 증가할 것이다.

또한, 사람과 동물에 위해를 끼칠 우려가 있는 동물용 의약품을 수의사가 직접 진료한 후 조제·투약·판매하거나 처방전을 발행한 후 처방대상 동물용 의약품을 구매하도록 하는 수의사 처방제도가 수의사의 일자리에 긍정적으로 작용할 것으로 예상된다.

수의사 면허가 있으면 시험을 거쳐 동물검역, 가축방역, 공중보건 등의 수의 업무를 하는 공무원으로 근무할 수 있다. 한편, FTA 등으로 축산업이 위축되면 진료대상 가축 수가 감소하여 산업동물 진료 분야에도 영향을 미칠 것으로 보이나 이 분야의 전문 수의사가 상대적으로 적기 때문에 큰 영향은 없을 것이다. 한해에 대학의 수의학과에서 약 600여 명의 수의사가 배출되고 있으므로 수의사는 더 늘어날 것으로 보인다.

그러나 새롭게 배출되는 수의사 중 도심지에서 동물병원을 개업하려는 경우가 많아 수의사 간에 치열한 경쟁이 벌어지고 있는 한편, 동물들의 특정 질병에 대한 진단과 치료에 대한 수요를 충족시킬 수 있는 전문분야 수의사(수의 분야 석·박사)는 다소 부족한 실정이다.

◆ 수의사 진출 분야

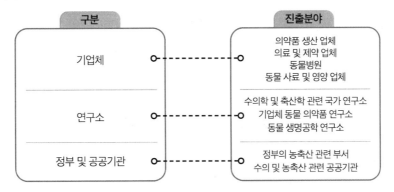

수의사는 발전 가능성이 있는 직업이다. 동물의 건강을 증진하는 것은 물론이고 가축의 생산성을 향상하며 인간의 건강과 환경을 보전하는 데 공헌할 수 있다. 수의학의 영역이 새로운 동물진료 기술의 개발 및 야생 및 수생 동물의 보전, 생명과학연구에 필수적인 실험동물에 관한 연구, 의약품 및 신물질 개발 등에 대한 생명공학기법의 개발에 이르기까지 확대되고 있다. 또한 정부에서는 2012년부터 말산업 육성 종합계획을 수립하여 수행하고 있어 수의사에 대한 수요도 지속해서 증가할 것으로 예상된다.

◆ 수의사 직업 전망

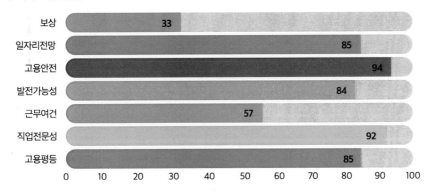

출처 : 워크넷

수의사가 되려면?

■ 정규 교육과정

- 수의예과 2년, 수의학과 4년, 총 6년 체제인 수의학을 전공하여 수의사가 될 수 있다. 1~2학년 때 수의예과에서 기본적 교양과 수의학 공부에 필요한 기초 지식을 습득한 후, 수의본과에서 4년간 본격적으로 수의학을 공부한 후 수의사 국가시험에 합격해야 한다.
- 수의학과 다른 전공의 학사학위를 취득한 경우에는 학사편입을 통해 본과 1학년으로 편입할 수 있다.
- 2018년 현재 국내 대학 중 서울대학교 등 국립대 9곳과 사립대학교인 건국대학교까지 총 10개 대학에 수의학과가 개설되어 있다.

■ 관련 자격증

수의사가 되려면 수의학과를 졸업하고 농림수산식품부가 시행하는 수의사 국가면허시험에 합격한 후 농림수산식품부장관으로부터 면허를 발급받아야 한다.

■ 경력 개발

동물을 진료하고 치료하는 수의사를 임상수의사라고 하는데 동네에서 흔히 볼 수 있는 동물병원에서 주로 일한다. 동물병원 이외에도 농장, 아쿠아리움, 동물원 등에서도 근무할 수 있다. 농림축산검역본부와 같은 정부부처, 지자체 소속의 공공기관 등에서 근무하는 공무원 신분의 수의사도 있다. 이들은 항만이나 공항에서 검역업무를 담당하거나 시군구청에서 가축 간 혹은 가축으로부터 사람에게 전염될 수 있는 전염병 (조류인플루엔자나 구제역 등)을 예방하거나 피해를 최소화하기 위해 노력한다. 또한 도축한 산업 동물 유통과정 및 계란 및 우유 등의 축산물이 식품으로서 문제가 없는지를 살피는 위생업무를 담당하기도 한다. 이 밖에도 대학의 유전 및 생명공학 연구소, 사료회사, 축산물유통업체, 유제품가공업체, 농축협, 가축위생방역지원본부, 축산물안전관리인증원, 제약회사, 마사회, 동물실험관리기관, 농장, 군대 (수의장교) 등에서 근무할 수 있다. 동물병원은 규모에 따라 승진체계가 다르다. 규모가 큰 동물병원의 경우 진료 분야에 따라 과를 두어 직급이 있기도 하다. 공무원으로 임용하는 경우에는 보통 7급 수의직으로 임용을 하게 되며 회사에 취직하는 수의사의 경우에는 6년제를 졸업한 뒤 대리급이나 별정직으로 채용되는 경우가 많다.

출처 : 워크넷

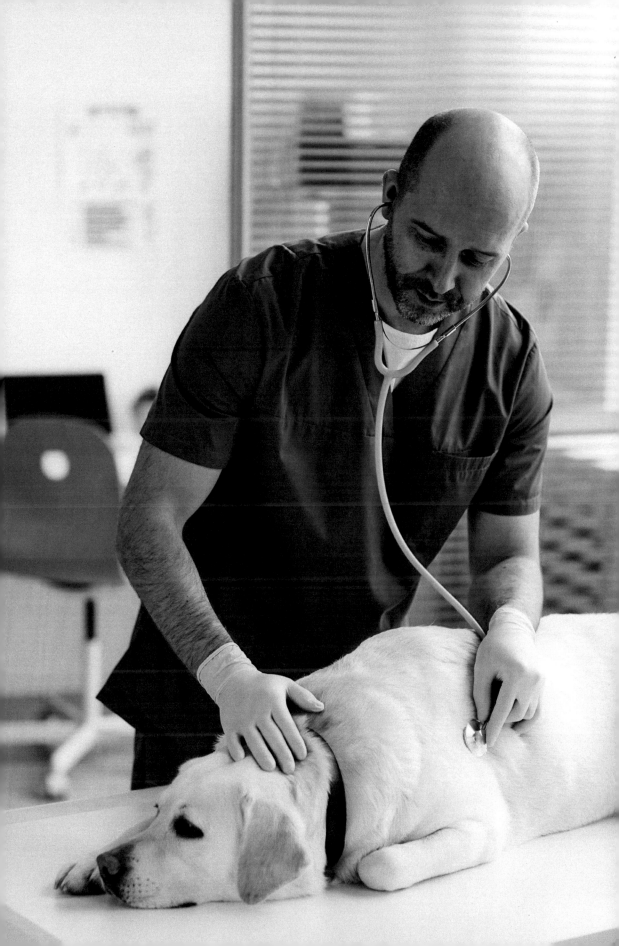

수의사에게 필요한 자질

어떤 특성을 가진 사람들에게 적합할까?

- 수의사는 세심한 관찰력이 필요하며, 돌발 상황 시 침착하게 문제를 해결할 수 있는 문제해결능력, 자기통제능력이 요구된다.
- 세밀한 관찰력과 꼼꼼한 사람에게 유리하며, 의연하게 대처할 수 있는 침착성과 인내심, 끈기가 필요하다.
- 탐구형과 사회형의 흥미를 지닌 사람에게 적합하며, 신뢰, 정직, 책임감 등의 성격을 가진 사람들에게 유리하다.

출처: 커리어넷

수의사와 관련된 특성

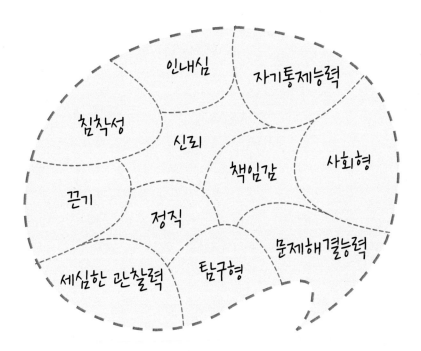

인내심
자기통제능력
침착성
신뢰
사회형
책임감
끈기
정직
세심한 관찰력
탐구형
문제해결능력

Q "수의사에게 필요한 자질은 어떤 것이 있을까요?"

톡(Talk)!
송서영

빠른 판단력과 과감한 결단력의 바탕 위에
손재주가 좋으면 유리해요.

빠른 판단력과 생각의 유연성, 과감한 결단력, 손재주가 필요하다고
봅니다. 진료하다 보면 예상치 못한 상황이 많이 발생하기 때문입니다.

4층에서 떨어진 친칠라가 있었는데 골절은 없었지만, 신경계 손상으
로 뒷다리를 움직이지 못하여 직접 휠체어를 만들어 준 일도 있습니다.
손재주가 좋은 사람이 수의 외과나 특수동물 의학 같은 분야에서는 확실
히 많은 도움이 많이 됩니다.

톡(Talk)!
김영인

동물을 사랑하는 마음은 기본이고
보호자를 이해하고 포용하는 마음가짐이 중요하죠.

수의사로서 아주 기본적인 이야기지만, 동물을 진심으로 사랑하는 마
음이 내면에 존재해야 합니다. 또한, 아픈 동물들을 데리고 내원한 보호
자분들의 마음도 어루만져 줄 수 있는 이해심과 포용력이 필요합니다.

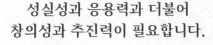

성실성과 응용력과 더불어
창의성과 추진력이 필요합니다.

톡(Talk)!
이영란

    수의사만 해도 워낙 다양한 방면이 있지만, 실제로 동물을 진료하고 치료하는 임상수의사만 놓고 생각해본다면 성실함과 응용력이 중요할 것 같아요. 꾸준하게 공부하면서 놓친 부분은 없는지 살펴보고 이론으로 혹은 경험으로 배운 내용을 적용할 줄도 알아야 하고요. 현재 하고 있는 부검 연구도 같은 선상이에요. 해양생물 보전 분야로 들어와서 보면, 좀 더 창의성이 필요해요. 특히 국내에서는 선례가 없고 다른 나라의 사례를 우리나라에 바로 적용하기에 문제가 있는 경우가 많아서 계속해서 아이디어를 내야 합니다. 많이 생각하고 계획하고 그 일을 이루어내기 위해서는 추진력이 있어야 합니다.

멘탈 관리도 중요하고
진심으로 소통하는 방법을 익혀야 해요.

톡(Talk)!
이라미

    제 생각엔, 무조건 동물만 사랑한다고 해서 되는 건 아닌 것 같아요. 일단 공부를 해서 점수가 되어야 수의대에 갈 수 있고, 수의사가 돼서도 계속 공부해야 한답니다. 그리고 동물병원도 일종의 사업이거든요. 무작정 봉사활동 하듯이 할 수 있는 게 아니란 말씀이죠.

    그리고 모든 동물을 항상 다 살릴 수 있는 게 아니기에 멘탈 관리도 상당히 중요한 것 같아요. 그래서 사명감을 가지고 하되 약간 의연한 마음도 필요합니다. 보호자들과 소통도 잘해야 하고 진심으로 사람들과 대화하는 방법도 익혀야 할 거예요.

톡(Talk)!
이하늬

책임감과 사명감이 없다면 어려울 수 있어요.

저는 책임감과 사명감이 수의사에게 꼭 필요한 자질이라고 생각합니다. 수의사는 동물의 생명을 책임지는 사람입니다. 내가 실수로 잘못 놓은 약물이 동물에게는 치명적인 독이 될 수도 있으니 항상 집중해서 진료하고 진료 결과에 대해서 책임지는 자세가 필요합니다.

단순히 전문직이라거나 돈을 많이 벌 것 같아서 수의사 업무를 하기에는 생각보다 업무량도 많고 동물에게 물리는 경우도 있어요. 위험할 때도 많고 까다로운 고객도 많은데, 그에 비해 수입은 적은 편입니다. 따라서 '내가 정말 동물의 생명을 살리고 싶다' 또는 '동물을 보호하고 싶다'라는 사명감이 없으면 견디기 어려운 직업이라고 생각합니다.

톡(Talk)!
김소연

보호자의 마음을 파악하는 능력과
동물을 향한 애정이죠.

여러 가지가 있겠지만 제일 중요한 것은 보호자의 마음을 파악하는 능력이에요. 수의학적인 최선이 보호자에게 최선은 아니니까요. 아무리 설명한다고 해도 들리지 않는 말을 한다면 의미가 없어요. 치료가 이루어질 수 없고요. 그리고 동물을 정말로 예뻐하는 마음이에요. 보호자들 눈에는 다 보인답니다. 동물을 좋아하는 분들이 아니라면 이 일을 하는 데 어려움을 느끼게 되는 순간이 올 거예요. 보호자들은 다양한 질문을 하거든요. 직접 정성을 기울여 키워보지 않았다면 적절한 답을 찾기가 힘들죠.

y

z

z

z

z

z

z

z

z

z

z

z

z

z

z

z

z

z

z

z

z

z

z

z

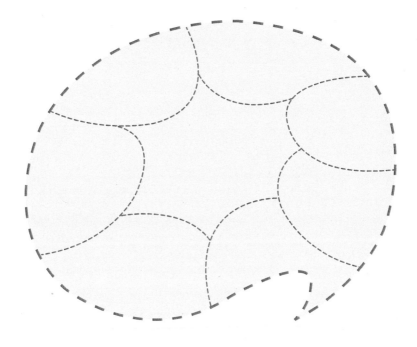

수의사의 좋은 점·힘든 점

| 좋은 점 |

보전 관련 일은 큰 사명감을 줍니다.

산업화 이후에는 인간의 삶을 윤택하게 하는 직업들이 주목받고 경쟁률도 높고 임금도 많이 받아왔죠. 빨리 선진화된 국가부터 그런 모습을 보였고요. 그래서 발전과 개발의 반대편에 있는 보전 관련 일은 상대적으로 등한시되어왔었죠. 하지만 생태계 보전에 참여한다는 것 자체가 주는 보람이 가장 크고 만족스러운 것 같아요. 시대가 변하고 있어요. 우리가 사는 이 지구가 유지되지 못하면 이제 곧 인간도 큰 위험에 처할 수 있다는 걸 점점 많은 사람이 빠른 속도로 알게 되었죠. 그러면 보람과 사명감뿐만 아니라 직업적으로도 그 이상의 의미를 느낄 수 있는 날이 올 수 있지 않을까요?

| 좋은 점 |

동물을 마주하는 것 자체가 즐거움이죠.

동물을 좋아한다면 여러 가지 어려움에도 불구하고 즐겁게 일할 수 있습니다. 항상 물리면서도 저희는 웃고 있습니다. 사랑스러운 동물을 대할 때면 입가에 미소가 절로 생깁니다.

| 좋은 점 |
동물원은 환경도 쾌적하고 근무 분위기도 좋아요.

　동물원에서 근무를 하기 때문에 근무하다가 힘든 일이 있으면 귀여운 동물원 동물들을 보면서 힐링할 수 있다는 큰 장점이 있어요. 그리고 산 아래 나무가 많은 공원에서 근무해서 공기와 자연환경도 좋은 편이고요. 수의사와 사육사들이 서로 존중해주기 때문에, 근무 분위기도 좋은 편입니다. 또한, 수의사 직업의 큰 장점의 하나는 동물들이 건강을 되찾는 것을 보면서 보람을 느낄 수 있다는 점입니다.

| 좋은 점 |
한국마사회에서 워라밸은 가장 큰 장점이죠.

　현 직장의 장점은 워라밸이 어느 정도 보장된다는 것입니다. 동물병원을 운영하는 수의사는 주 7일은 물론이고 긴 근무시간에 시달리는 경우가 많지만, 한국마사회의 경우 공기업이므로 법정 근무시간을 지켜 근무합니다.

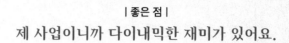

| 좋은 점 |
제 사업이니까 다이내믹한 재미가 있어요.

제 사업이니까 제가 하고 싶은 대로 할 수 있다는 거예요. 회사에 있을 때는 좀 답답한 점이 있었거든요. 제 생각에 '이걸 이렇게 하면 더 잘 될 것 같은데'라는 생각이 있는데 회사에서 그걸 동의하지 않으면 그게 잘 안 되잖아요. 그런데 지금은 제가 비용 들여서 제가 하는 거니까 되든 안 되든 이렇게도 해보고 저렇게도 해보고 하죠. 훨씬 다이내믹하고 재미있는 것 같아요.

톡(Talk)!
김소연

| 좋은 점 |
나의 상담과 치료가 주는 성취감은 설명이 안 되죠.

수의사가 되면 매일 엄청난 성취감을 느낄 수 있어요. 저의 설명으로 인해 환자가 더 나은 상태가 될 때 그 성취감은 다른 것과는 비교 불가예요. 온몸에 소름이 돋고 정말 짜릿할 정도로요. 나의 지식이 누군가에게 도움이 된다는 것은, 저의 존재 이유가 되기도 해요.

톡(Talk)!
송서영

| 힘든 점 |
진료의 변수가 많고 사고의 위험성도 따르죠.

　진료의 변수가 너무 많습니다. 주기적으로 건강검진 하는 동물이 드물기 때문에 다양한 질병으로 병원에 옵니다. 개가 껌을 먹다가 목에 걸려 오기도 하고 실뭉치를 삼켜서 장이 꼬여 방문하기도 합니다. 특수동물의 경우 이갈이가 안 되어 입천장에 구멍이 나서 오기도 하죠. 상황에 맞게 대처하는 유연함이 필요합니다. 또한, 의료진이 많이 다칩니다. 강아지, 고양이에게 물리는 것은 일상이고 우리 병원은 특수동물을 진료하기 때문에 미어캣도 자주 오는데 사나운 녀석들이 많습니다. 미어캣에게 물려서 손에 구멍이 나고 염증이 심하게 생겨서 잘못하면 절단 위기에 있던 적도 있었죠.

톡(Talk)!
이영란

| 힘든 점 |
환경문제에 관한 일반인의 인식이 낮아서
어려움이 있죠.

　일하면서 겪는 어려움은 환경문제에 관한 대중의 인식이 낮다는 겁니다. 지금도 환경 관련 기사에서 가령 지속가능한 어업이 필요하다고 말을 하면, 중국 불법 어선이나 잡으라는 댓글 등도 보이는데 이런 게 어려움이라기보다는 이젠 그냥 챌린지입니다.

| 힘든 점 |
야외에서의 근무가 힘겹고 위험할 때가 있어요.

야외에서 근무를 많이 하다 보니 여름에 너무 덥고 겨울에 너무 추운 것이 큰 단점입니다. 여름에는 땀을 뻘뻘 흘리면서 야외에서 진료하느라 온몸이 흠뻑 땀에 젖을 때도 있고, 겨울에는 눈이 너무 많이 와서 진료를 다니기 어려울 때도 있습니다. 너무 추워서 주사기 안에 있는 약물이 얼어 주사하지 못한 적도 있었어요. 또한 사자, 호랑이 등 공격적인 동물들이 많아 최대한 조심하지만, 진료하다가 위험한 순간이 가끔 생기기도 합니다. 그래서 진료할 때 항상 주위를 살펴서 안전사고가 생기지 않도록 노력하고 있습니다.

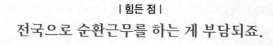

| 힘든 점 |
전국으로 순환근무를 하는 게 부담되죠.

한국마사회 소속의 수의사는 발령이 나면 전국(서울, 제주도, 부산, 전북 등)으로 순환근무를 해야 하는 것이 가장 어려운 점이라고 생각합니다.

톡(Talk)!
이라미

| 힘든 점 |
혼자 모든 일을 하다 보니
일과 생활이 섞여 있는 느낌이죠.

그냥 일과 생활이 하나로 묶여있는 느낌이 들어요. 제 일이 제 생활에서 완전히 분리가 안 되는 건 좀 힘들죠.

톡(Talk)!
김소연

| 힘든 점 |
환자의 병 앞에 무기력해질 때 가장 힘들죠.

살리고 싶은 마음이 간절해도 모든 환자를 다 살릴 수는 없다는 거예요. 내과는 노령환자나 중환자도 많기에 늘 죽음과 붙어있어요. 너무나 살리고 싶어서 다 쏟아부어도 병의 기세를 꺾을 수 없을 때 절망하기도 합니다. 그런 날은 잠이 잘 안 와요. 마음이 늘 무겁죠.

수의사 종사 현황

◆ 입직 및 취업방법

수의사 면허를 취득한 후 동물병원을 개원할 수 있으며, 축산물유통업체, 육가공업체, 사료업체, 유제품가공업체, 동물약품업체 등으로 진출할 수 있다. 또한 국립수의과학검역원, 축산기술연구원, 식품위생감시원, 유전 및 생명공학 관련 연구소 등의 연구기관에 진출하기도 한다.

◆ 고용현황

수의사의 종사자 수는 9,000명이며, 인구의 고령화, 저출산 등의 영향으로 1인 가구가 증가하면서 반려동물을 통해 정서적으로 의지하고 가까이 두려는 사람들이 늘어나고 있다. 이와 함께 반려동물에 대한 예방접종, 치료, 건강 등을 담당하는 수의사의 인력 수요도 높아져 향후 10년간 고용은 연평균 2.0% 증가할 것으로 전망된다.

◆ 근무환경

예방접종 업무가 많은 봄, 여름에 더 바쁠 수 있으며, 응급진료를 위해 야간에 근무하기도 한다. 축산 농가를 직접 방문하여 가축진료와 농민의 지도를 수행하기도 한다. 동물병원에서는 개나 고양이에게 물리거나 할퀴게 되는 경우가 많고, 시골의 동물병원에서는 소와 말과 같은 큰 동물에 차이거나 받히는 위험한 상황에 노출되기도 한다. 이처럼 동물은 의사소통이 되지 않을 뿐 아니라 병든 동물들은 예민하고 신경이 날카로워진 상태여서 자칫 동물의 돌발적 행동으로 다칠 수 있으므로 항상 조심해야 한다. 또한 광견병이나 브루셀라처럼 사람에게 전염되는 동물 질병도 있기 때문에 진료 시 세심한 주의가 요구된다.

◆ 임금수준

수의사의 평균연봉(중윗값)은 5,755만 원이다.

*하위(25%) 4,779만 원, 평균(50%) 5,755만 원, 상위(25%) 6,823만 원

6,823만원

5,755만원

4,779만원

하위(25%)　　평균(50%)　　상위(25%)

출처: 워크넷 직업정보(2019년 7월 기준)/ 커리어넷

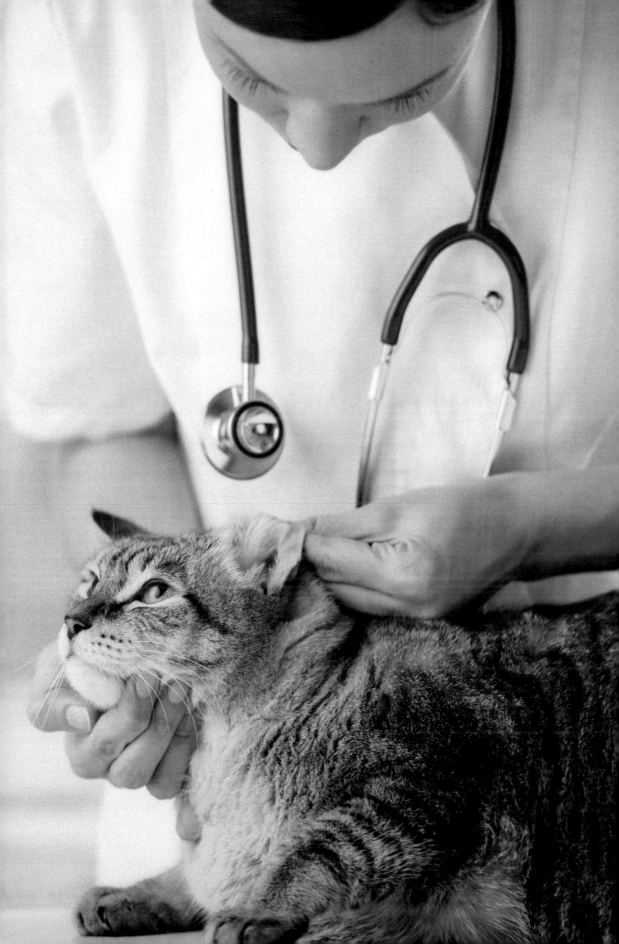

CHAPTER

| 2 |

수의사의

생생
경험담

미리 보는 수의사들의 커리어패스

 **송서영** 수의사   충북대학교 수의과대학 졸업, 석사과정수료   > 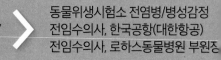 동물위생시험소 전염병/병성감정 전임수의사, 한국공항(대한항공) 전임수의사, 로하스동물병원 부원장

 이영란 수의사   건국대 수의학과 졸업, 동물병원 10년 (임상수의사)   > 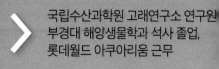 국립수산과학원 고래연구소 연구원, 부경대 해양생물학과 석사 졸업, 롯데월드 아쿠아리움 근무

 **이하늬** 수의사   건국대 동물생명과학과 졸업, 뉴욕주립대 생명과학과 졸업   > 건국대 수의학과 졸업, 강원대 야생동물학 석사 졸업

 **김영인** 수의사   미국 Washington University in St.Louis 생물학과 졸업   > 건국대학교 수의대 학사, 미국 수능(SAT) 강사로 4년간 근무

 이라미 수의사   전남대 수의과대학 수의학과 학사, 안양 수동물병원 인턴수의사   > 인천 연수동물병원 진료수의사, 힐스총판 성보사이언스 학술마케팅 수의사

 **김소연** 수의사   전남대학교 수의과대학 수석졸업   > 서울대학교 수의과대학원 수의 내과학 석사, 서울대학교 수의과대학원 내과 진료수의사

석적동물병원 원장,
테크노연합동물병원 원장,
24시 대전동물의료센터 부원장

현) 고운동물병원 원장
현) 대전 엑스포 아쿠아리움/ 해피쥬/
와우주 촉탁수의사

서울대학교 수의학 박사 수료,
미국 해양포유류센터 연수

현) WWF Korea 한국본부 해양보전팀장
현) 건국대 수의학과 겸임교수

강원대 야생동물구조센터 진료수의사,
에코특수동물병원 진료수의사

현) 서울동물원 진료수의사

수의장교로 복무

현) 한국마사회 진료 및
백신접종 담당 수의사

네도딘벳랩 임상병리실 실장,
분당 행복이 있는 동물병원 부원장,
풀무원 아미오 런칭 및 상품개발 담당

현) (주)베츠 대표, 제품개발 총괄

센트럴동물메디컬센터 내과 과장
서울대학교 응급수의학회 회원

현) 우리동물메디컬센터 내과 원장

어린 시절부터 다양한 동물들을 좋아해서 수의사의 꿈을 키우며 자랐다. 내성적이고 차분한 성격이었지만, 손재주도 좋았고 컴퓨터에도 상당한 실력을 갖추게 되었다. 부모님은 다른 직업을 원하셨지만, 수의사에 대한 비전이 확고하였기에 수의과대학에 진학하였다. 대학에서의 빡빡한 수업 일정에도 불구하고 축구동아리를 하면서 체력을 다졌다. 졸업 후에 동물위생시험소에서 질병 관리를 맡아서 일하면서 구제역이나 조류인플루엔자를 직접 경험하였다. 동물을 살리려고 수의사가 되었지만, 동물들을 죽이는 일에 가담하고 있다는 괴리감에 시달리기도 하였다. 현재 고운동물병원을 운영하고 있으며 주로 특수동물을 진료하고 있다. 특수동물을 진료하다 보니 사건·사고가 상대적으로 많이 생기기에 실패한 원인을 꼼꼼히 분석하고 공부하는 노력을 게을리하지 않고 있다. 특수동물 수의사로서 국내 최고가 되는 것을 목표로 정진하고 있다.

- -

특수동물 전문진료 고운동물병원 원장
송서영 수의사

현) 고운동물병원 원장
현) 대전 엑스포 아쿠아리움/ 해피쥬/ 와우주 촉탁수의사
· 24시 대전동물의료센터 부원장
· 테크노연합동물병원 원장
· 석적동물병원 원장
· 로하스동물병원 부원장
· 한국공항(대한항공) 전임수의사
· 동물위생시험소 전염병/병성감정 전임수의사
· 충북대학교 수의과대학 졸업/ 석사과정수료

수의사의 스케줄

송서영
수의사의
하루

23:00~
▶ 취침

08:00 ~8:40
▶ 아침 식사
▶ 출근 준비

20:00 ~ 23:00
▶ 퇴근
▶ 저녁식사 및 휴식

09:20 ~ 12:30
▶ 병원 출근
　(진료 준비)
▶ 오전 진료

14:00 ~ 20:00
▶ 오후 진료

12:30 ~ 14:00
▶ 점심식사

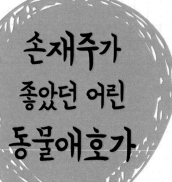

손재주가
좋았던 어린
동물애호가

▶ 어린 시절

▶ 대학시절 연구실에서

▶ 대학시절 방사선실에서

어린 시절을 어떻게 보내셨나요?

어린 시절부터 앵무새, 거북이, 병아리 등 작은 동물들을 좋아해서 키웠었어요. 자연스레 수의사가 되는 게 꿈이었습니다. 개와 고양이도 좋아했지만, 부모님이 반대하여 어린 시절 집에서 키우는 것은 어려운 일이었죠. 이후 고등학교 때 처음 고양이를 집에서 키우게 됐어요. 차분하고 내성적인 성격이었지만 물건을 분해하고 조립하는 것을 좋아해서 말썽도 많이 부렸죠. 삼촌의 보물이었던 아이와(Aiwa) 카세트플레이어를 몰래 분해해보다가 완전히 망가트린 적도 있었답니다. 다행히 많이 혼내지 않으셨던 기억이 납니다. 집중력은 좋은 편이어서 한자리에 앉으면 몇 시간 뒤 일어나곤 했죠. 학창 시절 공부하다 죽은 사람은 없다던 선생님의 말씀에 하루 4시간 자면서 책을 읽다가 쓰러져서 진짜로 병원에 실려 가기도 했습니다. 그때까지 4당 5락(4시간 자면 합격하고 5시간 자면 떨어진다는 뜻)이라는 말이 진짜인 줄 알았거든요. 의학적 지식이 늘어난 지금 돌이켜보면 정말 잘못된 상식이었죠. 뇌는 충분히 쉬어야 제 기능을 발휘합니다.

고치는 손재주가 남달랐나요?

고등학교 다닐 때는 기술 과목을 좋아했습니다. 만들고 조립하는 걸 정말 좋아했어요. 컴퓨터도 많이 좋아했고요. 프로그래밍이나 컴퓨터조립에 관심도 많았죠. 손재주가 있는 편이어서 고등학교 때부터는 주변에서 뭐가 고장 났다고 하면 잘 고쳐주러 다녔습니다. 주변에서는 컴퓨터를 잘 다룬다는 소문이 나기도 했지요. 그로 인해 컴퓨터 고치러 교무실에도 자주 불려갔었어요. 사실 컴퓨터를 좋아하고 잘 다루기보다는 고장 난 걸 고치는 것을 좋아했던 것 같습니다. 컴퓨터의 경우 고장 원인만 알면 치료가 쉬웠거든요.

Question 소극적인 성격이 오히려 도움이 되었다고요?

네. 학창 시절 소극적이었고 얌전한 스타일의 학생이었어요. 얼마나 소극적이었냐면, 선생님에게 부끄러워서 질문을 못 할 정도였으니까요. 질문 대신 도서관에서 혼자 백과 사전을 찾아보는 게 쉬웠어요. 사실 저의 중고등학교 시절엔 인터넷이 없었습니다. 덕분에 스스로 찾아서 공부하는 법을 체득했고, 답을 알 때까지 집요하게 물고 늘어졌어요. 한번 마음먹은 것은 끝까지 가는 성격이었어요.

Question 부모님께서도 수의사의 꿈에 동의하셨나요?

부모님은 의대나 경찰대에 진학하기를 희망하셨어요. 하지만 제가 어릴 적부터 꿈이 었던 수의사는 포기하지 못했습니다. 부모님 몰래 수의대에 원서를 넣고 부모님을 설득 시켰습니다.

Question 학교에서 진학에 관한 도움을 잘 받으셨나요?

제 학창 시절에는 진로 탐구 같은 게 전혀 없었어요. 배치표에 과 이름만 보고 지원하 던 시절이었습니다. 저 혼자 수의대에 관한 정보를 찾아야 했고, 거기에 맞추어 스스로 공부해야 했습니다. 그때는 수능성적으로만 대학을 갈 수 있었기에 지금과는 아주 다르 다고 생각합니다.

수의학을 전공하게 된 특별한 이유가 있나요?

어릴 때부터 작은 동물들을 키우면서 막연히 수의사가 되고 싶었어요. 수의사라는 직업이 아픈 동물들을 치료한다는 것 외에 어떤 일을 하는지 정확히 알지 못했어요. 고장난 것을 고치는 데는 자신이 있었고, 동물을 좋아했기에 적성도 맞을 것으로 생각했습니다. 궁금한 내용은 동아리 선배를 통해 정보를 얻었습니다. 제가 수험생일 때는 수능점수만 필요했기에 후회 없이 공부했습니다.

단서를 찾는 탐정 같은 수의사

▶ 대학 시절 실험실에서

▶ 50kg의 애완돼지 난소 자궁 제거 수술 이후

▶ 일본원숭이 진료 후 안길 때

Question **수의학과에서의 수업이 힘들진 않으셨나요?**

　　대학 수업은 고등학교 수업의 연속일 정도로 수업 일정이 빡빡했습니다. TV에서 '남자셋 여자셋'이라는 시트콤을 보며 여유로운 캠퍼스 생활을 상상했었거든요. 대학 수업은 오전 9시에 시작해서 오후 6시 정도에 끝났어요. 게다가 암기량은 왜 이렇게 많은지 모든 동물의 해부학적 특성을 따로 암기해야 했었죠. 시험도 자주 있었고요. 중간중간 쪽지 시험을 계속해서 보았고, 놀 시간이 주어지지 않았어요. 20년이 지난 지금도 가끔 공부를 다 못한 상태에서 쪽지 시험을 보는 꿈을 꿀 정도로 당시에는 압박감이 심했습니다.

Question **대학 시절 특별한 동아리 활동을 하셨나요?**

　　대학 시절 축구에 빠져 1, 2학년을 보냈던 기억이 납니다. 늦게 배운 축구가 너무 재미있었고 주말마다 축구 경기를 했었죠. 체격도 왜소하고 체력도 약한 제가 대학 졸업 전에는 축구부 주장이 되었답니다. 남들보다 연습을 정말 많이 했던 기억이 납니다. 경기에 임하면 늘 남들보다 한 발 더 뛰었고 정신력으로 버티었던 것 같아요. 경기가 끝날 때쯤이면 항상 다리에 쥐가 났었죠.

Question 직업으로 수의사를 선택하시게 된 계기가 있나요?

어렸을 때부터 동물을 정말 좋아했어요. 특별히 다른 이유는 없는 것 같네요. 동물을 워낙 좋아하다 보니 자연스럽게 수의사를 꿈꾸었고 개와 고양이뿐만 아니라 특수동물에도 관심이 많아서 특수동물도 함께 공부했습니다. 아픈 동물을 치료해주면서 많은 보람을 느끼고 있습니다.

Question 이전의 커리어가 현 직업에 끼친 긍정적인 영향이 있나요?

현재 소동물 수의사와 특수동물 수의사를 병행하고 있습니다. 수의사는 대동물 수의사/소동물 수의사/특수동물 수의사/공무원 수의사/기업 수의사로 크게 나눈다고 보면 저는 수의사면허 취득 이후 다른 분야를 모두 경험하고 나서 소동물 수의사와 특수동물 수의사로 정착하여 일하고 있어요. 모두 연계성이 있다고 보시면 됩니다. 대동물이나 말을 다루었던 경험, 공무원 수의사 시절 병성감정과 항생제감수성 검사 등을 다루었던 경험이 합쳐져서 현재의 진료스펙트럼을 넓게 만들어 주었습니다.

Question 진료할 때 가장 중요하게 생각해야 할 부분은 무엇인가요?

작은 단서로 범인을 찾는 탐정 같은 수의사가 되어야 합니다. 동물들은 어디가 아픈지 표현하지 못하죠. 보호자가 가지고 있는 단서와 동물이 행동하는 단서를 조합하여 가능성이 높은 순으로 범인(질병) 목록을 만들고 범인(질병)을 찾는 겁니다. 보호자가 가지고 있는 정보를 최대한 확보하려면 보호자와의 커뮤니케이션도 중요하고요. 동물의 작은 몸짓 하나하나 유심히 체크해야 합니다. 첨단장비들의 도움을 받는 일은 그다음 과정입니다.

Question 수의사가 된 후 첫 업무는 어떠셨나요?

동물위생시험소에서 전염병 등 질병 관리를 맡았습니다. 구제역/조류인플루엔자를 직접 경험하였죠. 동물을 살리려고 수의사가 되었지만, 전염병 확산으로 인해 나의 의지와 상관없이 동물들을 죽이는 일을 하게 되었습니다. 현실과 이상의 괴리감을 경험하면서 고민을 많이 했었죠.

Question 현재 하고 계신 일에 관해 설명 부탁드립니다.

고운동물병원을 운영하고 있습니다. 직원 10명 규모의 중소형동물병원이고 개/고양이 등 일반 반려동물과 특수동물을 모두 진료하고 있습니다. 현재 고운동물병원에는 3명의 수의사 선생님과 6명의 테크니션 선생님, 1명의 미용실장님이 계세요. 훌륭한 파트너십으로 각자가 지닌 진료의 장점을 극대화하고 있습니다. 저는 특수동물을 주로 진료하고, 함께 일하는 선생님은 안과와 일반 내과를 주로 진료하죠. 일주일에 5일을 일하고 있고, 연봉으로 따지면 4억 정도 되는 것 같습니다.

Question 수의사가 되고 나서 새롭게 알게 된 점이 있나요?

수의사의 영역은 참 넓고 배울 것이 끝이 없는 것 같아요. 동물들을 살려내는 게 늘어날수록 보람도 커지지만 부족한 면도 느끼게 됩니다. 매일 새로운 의료기술이 개발되고 좋은 의료장비가 생겨나기 때문에 끊임없이 배우고자 노력해야 합니다. 그렇지 않으면 금세 뒤처지게 됩니다.

국내 최고의
특수동물
수의사가 되자

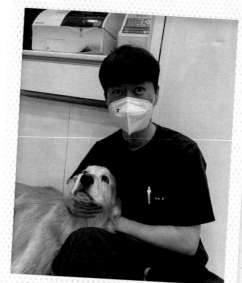

▶ 병원에서 입원 치료 중인 강아지와 함께

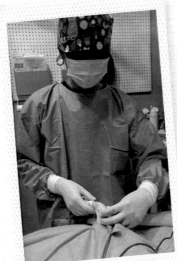

▶ 강아지의 슬개골 탈구 수술

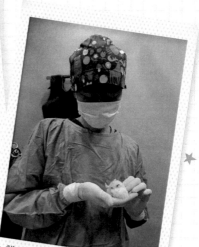

▶ 햄스터 종양 제거 수술 이후

일반인이 지닌 동물병원에 대한 오해가 있을까요?

동물병원비는 비싸고, 수의사는 과잉진료를 많이 한다는 오해를 많이 받고 있습니다. 사람의 경우 세금으로 운영되는 의료보험이 존재하기 때문에 적은 듯 보이죠. 예를 들어, 의원에 방문해서 진찰료로 3,500원을 부담한다면 의원은 12,000원의 수익이 발생합니다. 8,500원은 건강보험에서 부담하기 때문이죠. 이러한 사실을 모르면 동물병원이 비싸다고 느끼시는 건 당연하겠죠. 실제로 대부분의 동물병원은 의원보다 많은 장비를 갖추고 있습니다. 우리 동물병원의 경우엔 CT, MRI를 제외한 대부분 의료장비가 있습니다. 10분 이내에 결과를 알 수 있는 첨단혈액 검사장비와 내시경, 고가의 초음파 수술기, 심장 초음파장비 등 사람 종합병원에 가야 볼 수 있는 장비들을 갖추고 있죠. 사람 수준의 의술을 기대한다면 사람 수준의 치료비용이 드는 건 당연하지 않을까요?

Question **본인만의 진료 철학이 있으시다면 무엇인가요?**

정직한 진료를 목표로 하고 있습니다. 수술실, 처치실 등 병원 곳곳에 CCTV가 설치되어있어서 의료진에게 반려동물을 인계하고 보호자들이 대기실에서 기다리는 동안 반려동물이 받는 처치를 실시간으로 볼 수 있게 되어있습니다. 모든 처치 전 필요성과 처치내용에 대해 투명하게 고지를 하고 있습니다. 또한, 동료의 도움과 팀워크가 중요하다고 생각합니다. 작은 부주의도 바로 의료사고로 이어질 수 있기에 서로 협력하며 실수하지 않도록 도와줍니다.

지금까지 했던 치료 중에서
가장 기억에 남는 것은 무엇인가요?

미어캣의 대퇴골두가 괴사하여 뒷다리를 못 쓰고 내원한 적이 있습니다. 수술 후 회복되어 일상생활을 잘했을 때가 기억이 남습니다. 미어캣은 망을 보는 동물인데 뒷다리로 서지 못하여 보호자도 걱정이 많았었거든요. 또한, 기니피그의 요도결석으로 인한 결석 제거 수술도 기억에 남습니다. 워낙 작았던 아이였고, 결석이 매우 커서 다른 병원에서 포기한 아이였는데 역행으로 방광으로 결석을 보내서 방광절개 수술 후 제거하였습니다.

일하면서 가장 보람을 느낄 때는 언제인가요?

힘든 치료 후에 다 나아서 아이가 꼬리 흔들면서 반길 때죠. 치료 중에는 저희를 물기도 하고 으르렁거렸는데 이것이 본마음이 아니라 아파서 그렇게 행동하는 것이라는 것을 저희는 경험상 알고 있어요. 그래서 치료 후 호전되어 반기며 좋아해 주면 가장 보람을 느낍니다.

Question 업무적으로 힘들었을 때가 있을 텐데요?

내 의지와 상관없이 아이가 잘못되었을 때가 가장 힘듭니다. 저는 특수동물을 주로 진료하다 보니 사건·사고가 상대적으로 많이 생깁니다. 앵무새나 토끼같이 매우 예민한 특수동물이 더욱더 그렇죠. 병원에 진료 목적으로 방문하여 보호자가 앵무새를 새장에서 꺼내다가 낙조 한 예도 있었고, 토끼가 방사선 촬영 도중에 쇼크로 잘못된 적도 있었죠. 야생성이 높고 사람 손길이 익숙하지 않을수록 더욱더 조심하여 진료합니다.

Question 치료하던 동물이 잘못되면 어떻게 마음을 추스르시나요?

실패한 원인을 분석하고 다시는 이런 일이 없게 하도록 마음에 깊이 새깁니다. 완벽주의자 같은 성격이라 그런 일이 있을 때면 며칠은 불면증에 잠을 못 이룹니다. 안타깝게 하늘나라로 보낸 아이들 모두를 하나하나 잊지 못합니다. 언젠가는 하늘에서 만나지 않을까 생각합니다.

Question 특수동물 수의사로서 목표가 있으신가요?

특수동물 수의사로서 국내 최고가 되는 것을 목표로 정진하고 있습니다. 틈날 때마다 외국 서적과 논문을 읽고 있고 다양한 케이스를 경험하고 있습니다.

 **지인 혹은 가족들에게 수의사라는 직업을 추천하고 싶으신가요?**

동물을 사랑하는 마음이 없다면 일이 힘들 수 있습니다. 많이 물리고 많이 다치는 게 일상입니다. 하지만 정말 좋아하는 일이라면 힘들더라도 추천합니다. 저는 다치면서도 즐겁게 일하고 있습니다.

Question 학생들에게 해주고 싶은 조언이 있으신지요?

자기가 하고 싶은 일에 대한 도전은 그저 한 걸음씩 앞으로 나아가면 됩니다. 알 수 없는 먼 미래를 보고 미리 겁을 먹지 마세요. 방향만 설정하고 지금 내가 할 수 있는 것을 하면 됩니다. 한 걸음 한 걸음 반복하여 앞으로 가다 보면 목적지가 보일 것입니다.

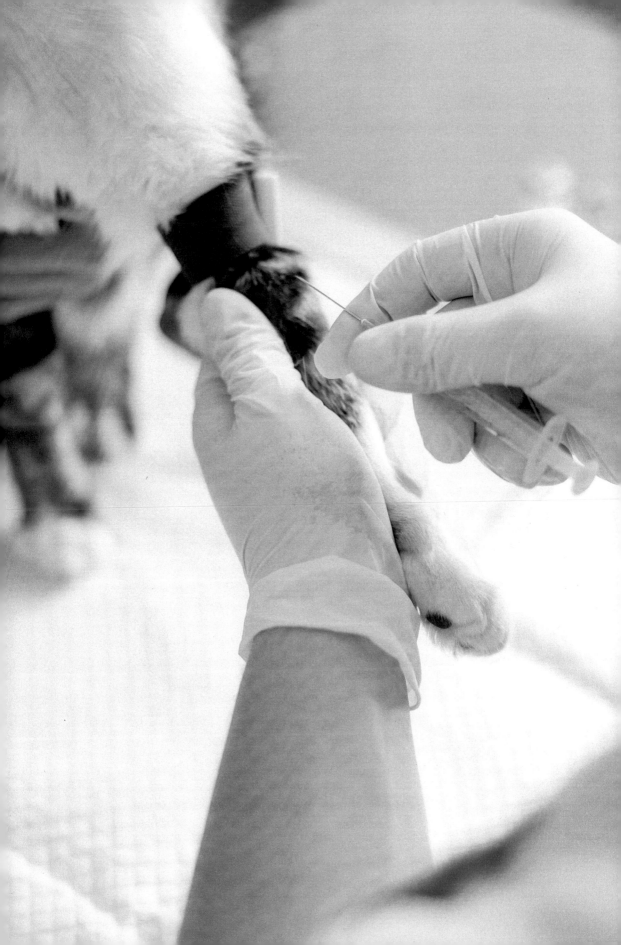

해양생물 전문수의사. 10년 가까이 반려동물 임상수의사로 일했지만 좋아하는 일을 하기 위해 동물병원 개업 개원을 포기하고 고래연구소를 선택했다. 현재는 세계 최대 자연보전 비영리기구(NGO)인 세계자연기금(WWF) 한국본부의 해양보전팀장으로 일하며 다양한 활동을 하고 있다. 해양포유류가 좋아서 따르다 보니 그들을 보호하고 싶었고 그러기 위해서는 지구 환경 전반이 보전되어야 한다는 것을 깨달았다. 해양 동물의 오랜 경력을 살려 죽은 해양포유류의 부검을 하기도 하고 실질적 보전 방안을 마련한다. 또한 건국대 수의학과 겸임교수로 수의대생들도 쉽게 접하기 어려운 해양동물의학을 위주로 강의 중이다. WWF에서는 해양보전팀장으로 한반도 연안 보전뿐 아니라, 범지구적 해양 보전에서 한국이 이바지할 수 있는 활동을 위주로 하고 있다. 예를 들면, 지속적인 방식으로 어업을 관리한다거나 해양보호구역을 늘리는 등의 일이다. 이를 이루어내기 위해서 국가, 기관, 기구, 기업, 지방자치단체 등의 거버넌스를 구축하고 시장을 변화시키는 일을 한다.

세계자연기금(WWF) 한국본부 해양보전팀장
이영란 수의사

현) 세계자연기금(WWF) 한국본부 해양보전팀장
현) 건국대 수의학과 겸임 교수 (야생동물의학)
• 미국 해양포유류센터 연수
• 롯데월드 아쿠아리움 근무
• 국립수산과학원 고래연구소 초빙연구원
• 동물병원 소동물 임상수의사 (10년간)
• 서울대학교 수의학과 박사 수료
• 부경대 해양생물학과 석사
• 건국대학교 수의학과 졸업

수의사의 스케줄

이영란 수의사의 하루

* 출장이나 외근이 많은데, 최근 코로나 시국에는 거의 비대면 화상회의로 전환 되어 줌 미팅이 많습니다. 미팅은 WWF 내부 미팅도 있고, 공무원(주로 해양수산부 및 관련 기관 또는 지자체), 기업(수산물 생산, 유통 기업), NGO, 해양 관련 학자들 등 다양합니다.

23:00 ~
▶ 취침

07:00~09:00
▶ 기상 후 출근

18:00 ~ 20:00
▶ 퇴근 및 저녁식사
20:00 ~ 23:00
▶ 개인 시간
　(독서, TV 시청 등)

09:00 ~ 12:00
▶ 업무 확인
▶ 이메일
▶ 미팅

13:00 ~ 18:00
▶ 자료작성
▶ 미팅

12:00 ~ 13:00
▶ 점심식사

궁금한 게 많고 해보고 싶은 게 많았던 시절

▶ 어린 시절 사촌과 함께

▶ 대학 시절 밴드 장면

▶ 구조된 아기물범 치료

어린 시절 어떠한 성격이었나요?

　자리에 가만히 앉아서 선생님 말씀을 듣고 예습 복습하는 아이는 아니었습니다. 활달하고 적극적이었죠. 스스로 해보는 걸 좋아해서 수업 시간에 발표도 많이 하고 친구들을 웃기는 걸 즐겼죠. 특히 교실 수업보다는 활동적인 음악, 체육, 미술 같은 예체능 수업에 관심이 많았어요. 방과 후에는 친구들과 밤늦게까지 놀았고요. 초등학교 5, 6학년까지 남자아이들보다 씨름도 축구도 잘했었어요.

특별히 하고 싶은 직업이 있었나요?

　많은 어른과 학교에서도 주기적으로 꿈을 물어보는데 대답하기가 어려웠던 거 같아요. 그 직업에 대해서 잘 몰랐고, 무엇보다 저 스스로가 어떤 사람인지 몰랐기에 특정 직업을 가진다는 게 이해가 안 됐어요. 그래서 아무 말이나 했던 거 같아요. 셜록 홈스 소설을 읽고는 탐정이 되고 싶다고도 했어요. 저는 지금도 아이들에게 꿈을 묻지 않아요. 본인이 어떤 사람인지는 물어봅니다. 저는 지금 제가 하고 싶은 일을 하면서 살고 있어요. 하지만 이게 잘 맞는다고 생각을 한 건 서른 살 정도 됐을 때예요. 계속 도전해보고 찾는 스타일인 것 같습니다.

Question 부모님께서 원하셨던 직업이 있으셨나요?

　다행히도 부모님의 기대 직업은 없었던 것 같아요. 제 또래 친구들이 많이들 그랬듯이, 지금처럼 부모님이 교육 전반에 영향을 끼치던 시절이 아니었어요. 물론 학부모회에서 영향을 끼치며 다양한 분야에 개인과외까지 하셨던 친구들 부모님도 있었지만, 비율이 높지 않았고 우리 집은 그런 부류가 아니었어요.

Question 다양한 동아리 활동을 하셨다고요?

　초등학교 때는 합창부, 탁구부, 수영부, 육상부, 수예부 같은 동아리 활동을 했었고 소년동아일보 기자도 했었어요. 고등학교 때는 붓글씨 동아리에서 회장을 맡았고 성균관대에서 주최하는 대회에서 상도 받고 그랬죠. 적극적으로 진로를 찾아 스펙을 올리던 시절이 아니었고 많은 걸 해볼 수 있었던 시기였던 것 같아요. 물론 장래 희망을 명확하게 지니고 그것을 위해 노력했다면 직업적으로 지금보다 훨씬 성공한 삶을 살 수 있었을지도 모르죠. 저는 여러 가지를 보고 경험하고 싶었던 사람이고 그중에 내가 뭘 좋아하는지가 궁금한 아이였어요. 그리고 내가 좋아하는 일을 하기 위해서는 남들이 힘들다고 하는 것도 참을만한 그런 사람이더라고요.

수의학과에 지원하신 특별한 이유가 있으신가요?

대부분의 수의대 학생들이 그러하듯 어릴 때부터 동물을 좋아하긴 했지만, 그렇다고 아주 요란스럽게 좋아하는 편은 아니었어요. 고등학교 때 진로를 고민하면서 수의사가 '전문직'이라는 점이 멋져 보였죠. 재미있어 보이기도 했고, 남들이 안 하는 일을 해보고 싶다는 마음도 들었습니다.

Question **대학 시절에 밴드 활동도 하셨다고요?**

네. 대학 시절 건국대학교 수의학과 밴드인 '뮤직 바이러스' 활동을 열심히 했었어요. 그 활동을 빼면 특이한 점은 없었던 것 같아요. 학생 때 해양생물 분야와 관련된 일화 같은 것은 딱히 없습니다. 오히려 수의과대학에 진학한 뒤 수의사 자체에 대한 흥미를 조금 잃어버렸었습니다. 입학 전과 달리 그렇게 재미있다는 생각이 들진 않았거든요.

임상 수의사에서
해양생물
수의사로

▶ 고래연구소에서

 참돌고래 부검 중

▶ 고래 꼬리에서 채혈 중

Question 언제부터 해양생물 수의사에 관심을 가지게 되셨나요?

해양생물 수의사에 관심을 가지게 된 것은 스쿠버다이빙 같은 해양 레저스포츠에 빠지면서부터입니다. 어릴 때 영화 그랑블루를 보면서 바다와 돌고래에 대한 막연한 동경, 그리고 바닷속에 들어가 보고 싶다는 생각이 있었습니다. 그러다가 동물병원 임상수의사로 근무하던 2000년경에 괌으로 여행을 갔는데, 거기서 만난 현지 동물병원 수의사와 인연이 되어 처음 해저를 접하게 됐죠. 그 뒤로 해양스포츠에 빠져 살면서 내셔널지오그래픽이 같은 다큐멘터리를 보면서 돌고래를 구조·치료하는 등의 해양포유류와 연관된 일을 하고 싶었습니다.

Question 수의대를 졸업하고 해양생물 수의사가 된 과정이 궁금합니다.

수의대를 졸업하고 10년 가까이 동물병원에서 소동물 수의사로 근무했어요. 제가 졸업할 당시에는 반려동물 임상이 한창 발전할 때여서 반려동물 임상수의사를 하는 것이 자연스러운 진로였죠. 일하면서 크게 불만은 없었지만, 딱히 만족은 안 되는 거예요. 저한테 꼭 맞는 일은 아닌 것 같다는 생각을 자주 했었던 것 같아요.

그 당시에 여행을 자주 다녔었는데 스쿠버다이빙을 시작하면서, 바다와 해양생물에 푹 빠지게 되었고 자연스럽게 이런 해양생물과 함께하는 수의사가 되고 싶다는 생각으로 해양생물 수의사로 전업할 수 있는 길을 여기저기 알아봤죠.

2008년에 서울동물원에서 근무하는 친구 수의사가 외부초청 강연에서 고래연구소의 박사님을 만날 기회가 있었는데 그 자리에서 "제 친구 중에 해양생물을 다루고 싶어하는 수의사가 있다"라며 저를 소개해 줬습니다. "돈은 많이 못 벌겠지만 하고 싶으면 오라"는 박사님의 말에 고래연구소를 직접 찾아가 일을 했고, 결국 연구보조원으로 근무하게 됐죠. 정말 운 좋게도 우리나라 최초로 해양포유류를 연구하는 수의사가 될 수 있었습니다. 고래연구소는 당시 우리나라에서 유일하게 해양포유류를 연구하는 기관이었어요. 큰돌고래, 참돌고래, 상괭이 같은 돌고래 종이랑 물범, 바다거북 같은 해양생물들을 부검하고 연구했고요. 국내 최초로 러시아에서 들어온 국체 벨루가 웨일(흰고래)을 보기도 했어요.

고래연구소로 들어가기 전에 마지막으로 동물병원 개업과 수생동물 수의사의 길을 두고 고민했지만, 이 선택에 후회는 없었습니다.

Question **고래연구소에서의 활동은 주로 어떤 것이었나요?**

고래연구소에 있을 때 한국에 있는 해양포유류는 거의 다 만났던 것 같아요. 살아있는 고래도 있었지만, 죽은 고래와 물범을 부검하는 일이 더 많았죠. 아쿠아리움과 공동으로 상괭이라는 소형 돌고래 구조 치료를 하기도 했습니다.

Question **아쿠아리움에서도 근무하셨다고 들었습니다.**

고래연구소에서 연구하고 구조 치료, 부검 등을 경험하다가 롯데월드 아쿠아리움이 처음 생길 때 그곳으로 옮겼습니다. 사설 수족관에서 산호부터 펭귄, 1톤이 넘는 흰고래까지 관리했었어요. 수족관에서 사는 해양포유류에게 이름을 불러줬을 때, 그 존재와 제가 연결되는 느낌이 강하게 듭니다. 그때 제가 불렀던 생물들은 지금 안 본 지 한참 됐지만, 굉장히 또렷하게 기억이 나요. 정이 많이 들었죠. 만질 때의 느낌, 피 뽑거나 주사 놓을 때 싫어했던 모습들이 또렷하게 생각납니다.

Question 현재 활동하고 계신 세계자연기금(WWF)과는 어떻게 인연을 맺으셨나요?

해양포유류를 야생에서 5년, 사육시설에서 3년 접하면서 제가 결국 하고 싶은 일은 보전이라는 사실을 알았어요. 2017년 미국으로 연수를 갔고 그곳에서 매우 중요한 경험을 했지요. 제가 간 곳은 캘리포니아 소살리토에 있는 Marine Mammal Center였습니다. 전 세계에서 규모가 가장 크고 조직이 잘 갖춰진 곳이죠. 처음에는 야생의 해양포유류를 구조하고 치료하는 업무를 기대하고 갔지만, 이곳 이름이 '해양포유류 구조센터'가 아니라 '해양포유류 센터'였습니다. 3~4개월 지내보니 중요한 건, 단순히 다친 동물들을 데려와 구조하고 치료하는 게 아니었습니다. 지금 여기에 누가 있고 이들이 만약 위험에 처해있다면 왜 그런지, 그 이유가 인간 때문인지, 나중에 인간에게 어떤 영향을 미칠지 등을 아는 게 제일 중요했어요. 그 종이 멸종하지 않고 인간과 어떻게 공존하며 살 수 있는지 알아야 했습니다. 이곳에서 많이 배우고 경험하는 동안 마침 WWF에 자리가 났다고 해서 합류하게 됐고요. 물론 WWF에서도 수의사 역할을 하긴 합니다. 결국 보전 업무를 맡다 보니 치료 대신 부검을 많이 하죠. 부검 때문에 출장도 종종 다닙니다.

Question WWF에서 하시는 일을 자세히 설명해 주시겠어요?

WWF는 세계적으로 영향력 있는 비영리 자연보전기관(NGO)입니다. 현재 세계자연기금(WWF) 한국본부 해양보전팀장으로 근무하고 있어요. 해양보전팀은 크게 세 가지 일을 합니다. 지속가능한 원양어업, 우리 바다 연근해 보전, 멸종위기 생물 보호를 위해 힘쓰고 있죠. 원양어업은 공해라고 불리는 주인이 없는 먼바다에서 이루어지는데, 규제가 없다 보니 훼손이 심할 수밖에 없습니다. 우리나라는 원양대국이기 때문에 원양선사들이 지속가능한 방식으로 어업에 종사할 수 있도록 시장을 바꾸기 위해 노력하고 있습니다. 연근해 바다 보전을 위해 올바른 소비문화, 여가문화 등 소비자 인식증진 및 실제 정책결정자들에게 조언하는 역할을 합니다. 저희 팀은 저 포함 5명으로 저는 팀장으로서 위의 업무들을 이끌면서 가끔 해양 동물들의 부검에 참여하고 있습니다. 또 플라스틱은 바다 안에서 해양생물에 직접적으로 상해를 입히거나 섭식되어 문제를 일으킵니다. 큰 플라스틱은 큰 생물에, 작은 플라스틱은 작은 생물에 그 위험을 안기죠. 바다 안에 들어간 플라스틱은 풍화로 마모되며 미세 플라스틱으로 작아지는데 최근 연구결과에 따르면 대부분의 어패류에 이미 미세 플라스틱이 있다고 합니다. 인간은 현재 여러 경로로 이를 먹고 있습니다. 현재 환경호르몬이 번식장애 등을 일으킬 수 있다고 알려져 있지요. 대체재 개발도 중요하지만, 플라스틱 사용을 줄이는 것이 무엇보다 중요합니다. 개개인의 노력도 중요하고, 기업이 생산 방식을 바꾸고 정부는 이를 정책적으로 뒷받침해야 합니다.

해양 쓰레기의 심각성과 관련해서
구체적인 사례가 있을까요?

대표적으로 바다거북의 죽음과 관련해 부검을 해보면 정말 다양한 해양 쓰레기가 바다거북의 직간접적인 사인으로 추정되고 있어요. 비닐, 스티로폼, 그물, 사탕 봉지 심지어 대북 선전물까지 위장에 아주 꽉 차 있었어요. 그들이 바다에서 해양 쓰레기로 고통을 겪거나 죽음의 위험에 처해 있다는 사실은 인간도 그렇게 될 수 있다는 것을 의미하기도 하죠. 이러한 해양 쓰레기는 해양생물에게 물리적으로 위해를 가하는 큰 쓰레기도 있지만, 더 무서운 게 미세 플라스틱이에요. 그것들이 해양에 미치는 영향을 정확히 파악하고 위험성을 알리고 더 나빠지지 않게 작은 힘이나마 보태려고 하고 있습니다.

▶ 고래의 초음파 검사

해양 보존이
바로 인간을
지키는 일

▶ 세계자연기금 한국본부에서

▶ 제주도에서 대형 참고래 부검 중

Question 우리가 바다로 놀러 갈 때 환경보전을 위해 어떤 노력을 해야 할까요?

꼭 바다에 갈 때 산호를 파괴하는 선크림보다는 래시가드 입기 운동을 하시는 게 좋을 것 같고요. 가장 쉽게 할 수 있는 건 쓰레기를 함부로 버리지 않는 것입니다. 해양 쓰레기 중에 가장 심각한 건 플라스틱인데요. 플라스틱 줄이기 운동은 우리가 더는 미루면 안 되는 숙제죠. 또한, 어린 물고기를 먹거나 알을 먹는 행위를 금하고, 지속가능한 수산물을 소비하려는 습관이 중요합니다. 그래야 우리의 아이와 그 아이의 아이도 아름답고 건강한 바다와 더불어 살 수 있을 테니까요.

Question 일하면서 가장 보람을 느낄 때는 언제인가요?.

개인적으로는 이미 짜인 걸 이행하는 것보다는 뿌연 안개를 헤쳐 가며 한 발자국씩 내딛는 걸 즐기는 편입니다. 제가 제일 좋아하는 고래 종류 중에 '상괭이'라고 있는데 세계자연보전연맹(IUCN)의 멸종위기 종으로 지정된 종이죠. 얼마 전 '상괭이' 보전을 위한 협력을 촉구하는 결의안이 IUCN에서 공식 채택됐답니다. 이처럼 WWF 같은 국제 NGO에서는 다양한 네트워크를 통해 목소리를 내고, 보다 적극적으로 활동할 수 있어서 보람을 느낍니다.

'지속가능한 어업'의 개념이 무엇인가요?

저희는 흔히 사람들에게 당신의 자녀나 손주도 나중에 고등어를 먹을 수 있게 해 달라고 말합니다. 해양생태계도 고유의 기능이 있는데 인간의 어업 자체가 바다를 망치는 큰 요인 중 하나거든요. 어업 방식만 바꿔도 해양생태계를 살릴 수 있습니다. 그 배경에서 지속가능한 어업이라는 개념이 나왔고, 인증제도 있습니다. MSC(Marine Stewardship Council)는 지속가능한 어업에 대한 인증이고, ASC(Aquaculture Stewardship Council)는 지속 가능한 양식업에 대한 인증입니다.

Question

'지속가능한 어업'을 위해 어떠한 노력을 기울이시는지요?

지속가능한 어업을 위한 '지속가능한 수산물'이 시장에 유통될 수 있도록 힘쓰고 있습니다. 대학교 때 수의학을 공부하며 임상수의사로 있으면서 '동물의 많은 질병이 인간이 자연을 이용하기 위해 사용될 때 생기는구나.' 그리고 또 인간이 만든 질병 또한 인간이 치료한다는 점을 깨달았어요. 그래서 야생에 더 매력을 느꼈고 현재 자연 생태계의 연구와 보전을 위해 노력하고 있죠. 현재는 기후변화 문제에 모두가 시급한 경각심을 가지고 함께 나아가는 것을 목표로 하고 있습니다. 세계자연보전기금에서 국내외 이슈를 대중들과 나누고 국내 정책결정자들이 옳은 결정을 내릴 수 있도록 하며, 기업들의 지속가능한 운영을 위한 프로그램 개발에 노력하고 있습니다. 이제 막 시작인 단계로 아직 할 일이 아주 많습니다.

Question   스트레스를 어떻게 해소하시나요?

여행을 무척 좋아합니다. 모험심이 강해서 새로운 걸 도전하고 새로운 사람을 만나고 새로운 음식을 먹어보는 걸 좋아해요. 사람들과 공감하고 이해받는 시간도 스트레스를 많이 없애줍니다. 주변에 가까운 사람들에게 제 문제를 상의하고 그들의 고민도 들어주고 재미있는 일도 함께하고요. 그런데 요즘은 여행도 만남도 코로나 때문에 힘들어졌네요. 역시 자연보전이 가장 중요한가 봐요.

Question   앞으로 직업적 목표가 무엇인가요?

앞으로도 우리 바다가 지속 가능할 수 있도록 계속 노력할 거고요. 개인적으로 해양동물의 구조치료연구교육은 꼭 하고 싶은데, 어떤 형태가 될지 아직 구체적으로 계획한건 아닙니다. 바다에서 스쿠버다이빙을 하며 해양 생물들과 함께하는 시간이 너무나 행복하기 때문에 이들이 불행하지 않도록 노력하는 것이죠. 저의 궁극적인 목적은 보전이고요. 이것을 즐겁게, 모두 함께 할 수 있게 하는 방법을 세우는 게 제 목표예요. WWF에서 해양보전 활동도 열심히 하고, 대학에서 학생들 가르치는 활동도 열심히 할 겁니다. 자연과 인간의 공존이란 가치실현이 결국 인간이 자연에 포함되어있다는 개념에서 시작해야 하거든요. 보전에 대한 마음은 생활 속에 묻어있어야 한다고 봅니다. 앞으로도 저는 더 좋은 세상이 될 수 있도록 제가 할 수 있는 범위의 일을 하고, 알리고, 제안하고, 설득하겠습니다.

환경에 대한 콘텐츠들이 그 어느 때 보다 많이 나오고 있는 것 같습니다. 타일러 러쉬의 <두 번째 지구는 없다>를 읽어보시길 강력히 추천합니다. 지금 우리는 풍요로운 경제적 여건 속에서 지나치게 많을 걸 소비하고 있습니다. 하지만 안타깝게도 그 경제적인 풍요로움은 지구환경을 훼손시킨 대가였습니다. 억울할 수도 있겠지만, 기후 위기에 큰 영향을 받게 된 세대가 되어버렸죠. 지금이라도 무엇을 할 수 있는지를 고민하면서 일상에서 환경을 위한 노력을 해주셔야 합니다. 여러분이 어느 방면에서 어떤 일을 하든지 자연보전에 참여할 수 있답니다. 올바른 환경정책을 펼치는 정치인을 뽑는다거나, 올바른 생산 방식의 제품을 선택하는 것도 그 예가 될 수 있겠죠. 그것도 자연보전입니다. 모두 함께 지구를 위해 지금 실천할 수 있는 것들을 알아보시길 바랍니다.

어릴 적부터 자연에 대한 호기심이 많았기에 생물과 화학 과목에 남다른 관심을 기울였다. 동물 관련된 일을 하고 싶다고 생각하다가, 고등학교 때 우연히 읽은 책으로 인해 멸종위기 동물을 보호하겠다는 사명감을 품게 된다. 야생동물 수의사의 꿈을 꾸면서 수의학과 전공을 선택하게 되었다. 하지만 수의학과 수업에서는 야생동물에 관한 수업 내용은 많지 않았다. 방학 기간 야생동물 구조센터나 동물원에서 실습하기도 했다. 대학 시절 IVSA(세계수의학과학생연합)에서 주최하는 남아프리카공화국 심포지엄에 참석하였다. 그곳에서 다양한 야생동물들의 해부 표본들을 보고 야생동물 관련 강의를 들으면서 야생동물 수의사의 꿈을 확고하게 다지게 되었다. 현재는 국내 최대의 동물원인 서울대공원에서 진료 수의사로 근무하고 있다. 동물원에서 야생동물의 질병과 치료법 등을 연구하며 야생동물 진료의 최고의 권위자가 되려고 노력 중이다.

서울동물원 진료수의사
이하늬 수의사

현) 서울동물원 진료수의사
• 에코특수동물병원 진료수의사
• 강원대 야생동물구조센터 진료수의사
• 강원대 야생동물학 석사 졸업
• 건국대 수의학과 졸업
• 뉴욕주립대 생명과학과 졸업
• 건국대 동물생명과학과 졸업

저서) '지구별야생동물탐방기' 등

수의사의 스케줄

이하늬 수의사의 **하루**

23:00 ~
▶ 취침

06:00 ~ 07:40
▶ 기상 및 출근 준비
07:40 ~ 08:40
▶ 오전 회진 준비 및
 입원 동물 관리

16:00 ~ 18:00
▶ 진료 차트 작성 및
 행정 서류 업무
18:00 ~ 23:00
▶ 퇴근 및 휴식

08:40 ~ 09:00
▶ 진료팀 오전 미팅
09:00 ~ 12:00
▶ 동물원 회진

13:00 ~ 16:00
▶ 오후 회진
▶ 수술 등 집중 진료
▶ 입원 동물 관리

12:00 ~ 13:00
▶ 점심 식사

멸종위기의 동물들을 구하기 위해

▶ 어린 시절 승마체험 하며 말과 교감 중

▶ 어린 시절 바닷가에서 미역을 따며

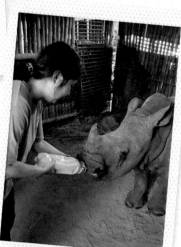

▶ 남아프리카 야생동물 구조센터 실습 중 코뿔소에게 우유 먹이기

Question 어린 시절을 어떻게 보내셨나요?

저는 호기심이 많아서 궁금한 건 못 참는 성격이었어요. 특히 자연에 대한 호기심이 많았는데 어렸을 때 조부모님이 키워주셔서 할머니랑 같이 산에 자주 가서 풀이나 새, 계곡 속 가재 등을 들춰보고 채집해보면서 궁금증을 해소했어요. 저희 고모들은 돼지 농장을 하셨는데 방학 때마다 농장을 놀러 가서 돼지들도 보고 농장의 강아지들 닭들이랑 놀면서 동물과도 친숙하게 지냈어요. 그래서 자연스럽게 어른이 되면 동물 관련된 일을 하고 싶다고 생각했어요.

Question 특별히 좋아했던 과목이나 분야가 있으셨나요?

자연에 대한 호기심이 많았던 만큼 과학 과목을 좋아했고 그중에서도 생물과 화학을 좋아했습니다. 생물 수업 시간에 동식물들의 생리학적 구조와 기능에 대한 지식을 습득하는 것이 재미있었어요. 화학의 경우, 눈에 보이지 않는 분자구조나 화학 결합식을 배우는 게, 마치 퍼즐을 푸는 것 같아서 좋아했어요. 이상하게 여길 수도 있겠지만, 한때 생물 학명이나 화학구조식을 보면 가슴이 두근두근하기도 했답니다.

학창 시절 어떤 성격의 학생이었나요?

학창 시절에는 조용한 성격이었습니다. 나서는 것을 별로 좋아하지 않아서 주로 조용하게 책 읽는 걸 좋아하고 친구들은 많지 않았지만 깊게 사귀는 편이었어요.

Question **진로로 인해** 부모님과 갈등은 없었나요?

부모님께서는 문과 쪽을 전공하셨고 저도 사실 중고등학교 때 국어, 사회 등 문과 쪽 과목성적이 잘 나오는 편이었어요. 그래서 부모님은 제게 문과 계열의 직업을 기대하셨던 것 같아요. 변호사가 저에게 잘 어울릴 것 같다는 이야기를 종종 하셨어요. 하지만 제가 워낙 수의사를 하고 싶어 하는 것을 아셨기 때문에 부모님의 기대 직업을 강요하시진 않았어요. 오히려 제가 수의사의 꿈을 이룰 수 있게 많이 지원해 주셨습니다.

Question **수의학을 전공하게 된** 계기는 무엇이었나요?

동물 관련된 일을 하고 싶다고 막연하게 생각하다가 고등학교 때 '마지막 기회'라는 책을 읽게 되었어요. 이 책은 멸종위기 동물들을 찾으러 떠나는 작가의 모험기를 담은 책인데요. 양쯔강 분홍돌고래는 이미 멸종을 해버려서 작가가 아무리 수소문해도 결국 발견하지 못하는 내용에서는 매우 마음이 아팠습니다. 책을 읽고 나서 멸종위기 동물들을 보호하고 싶다고 생각하게 되었어요. 그리고 멸종위기 동물들을 구조하고 치료한 뒤 야생으로 돌려보내는 야생동물 수의사가 있다는 것을 알게 되었고 야생동물 수의사의 꿈을 꾸게 되었어요. 그래서 수의학과 전공을 선택하게 되었습니다.

진로 결정할 때 도움을 준 멘토가 있으신지요?

어머니 친구분께서 수의사여서 동물병원을 운영하고 계셨어요. 그래서 수의사에 관해 이것저것 많이 여쭤볼 수 있었죠. 특히 수의사 진로에 대해 긍정적인 이야기를 많이 해주셔서 수의사의 꿈을 키워나가는 데 많은 도움을 주셨어요. 수의사 중에서도 야생동물 수의사로 세부 분야를 결정하게 된 것은 앞에서 얘기했듯이 '마지막 기회'라는 한 권의 책이었습니다. 좋은 수의사 멘토 분과 감동적인 책으로 야생동물 수의사의 진로를 결정할 수 있었습니다.

Question 수의사가 되기 위해 어떤 준비를 해야 할까요?

먼저 수의학과에 진학하는 것이 가장 중요합니다. 수의학과를 졸업하지 않으면 수의사 국가고시를 볼 수 없어서 수의사가 될 수 없거든요. 수의학과는 전국에 10개밖에 없고 입학 점수가 높은 편이라서 수의사를 꿈꾸는 학생들은 열심히 공부해야 합니다. 그리고 동물을 다루는 직업이어서 동물을 무서워하지 않고 친숙해지는 것도 중요하겠네요.

처음부러 수의학과에 입학한 게 아니라고요?

　네. 처음에 건국대 동물생명공학과를 다니다가 뉴욕주립대 생명과학과를 졸업한 후에 다시 수의학과로 편입하게 되었습니다. 유학 덕분에 영어 실력이 많이 향상되었어요. 향상된 영어 실력은 제가 수의학과에서 수업을 듣거나 수의사로 근무할 때 큰 도움을 주고 있습니다. 수의학과에서 대부분의 수업은 영어원서로 진행합니다. 졸업 후 수의사로 근무할 때도 영어 논문을 읽어야 할 때가 많아요. 특히 국내에는 야생동물 관련 연구가 적은 편이어서 야생동물 진료에 대한 자료를 찾으려면 대부분 영어 논문을 읽어야 합니다. 그리고 야생동물 쪽은 해외 동물원이나 수의사들과 교류할 일이 많아서 영어를 쓸 일이 더욱더 많은 편이죠. 동물원의 경우, 수의사들이 해외 동물원에서 동물들을 수급하거나 건강 검진서류 등 기본적인 서류를 영어로 작성해야 하므로 기본적인 영어 실력은 필수라고 볼 수 있습니다. 그래서 야생동물 수의사를 꿈꾸는 학생들은 영어 실력도 함께 쌓는 것을 추천합니다.

▶ 수의대 _실험견 실습 중

내가 포기하면
아무도 책임지지
않는다

▶ 수의대 _마사회 실습 중

▶ 수의대 _야생동물구조센터 실습 중

수의학과에서 야생동물에 관한 수업이 많은가요?

아니요. 수의학과 수업에서는 개와 고양이 진료 위주로 배울 수 있었고 야생동물에 대해 배울 기회는 적었어요. 그래서 방학 때마다 야생동물 관련 기관에서 실습하면서 야생동물을 진료하는 법에 대해 배워갔어요. 야생동물 구조센터에서 실습하기도 했고 동물원에서 실습하기도 했었어요. 한번은 태국의 치앙마이 수의대에 야생동물 실습을 하러 가기도 했어요. 방학 때마다 틈틈이 한 실습은 야생동물에 대한 지식을 쌓았고 야생동물에 관심 있는 다른 학교 수의학과 학생들을 만나 교류하는 기회가 되었어요. 이런 실습 경험 덕분에 졸업하고 야생동물 구조센터에서 근무할 때 큰 도움이 되었습니다. .

야생동물 수의사의 비전이 확고해진 계기가 있었나요?

대학 다닐 때 IVSA(세계수의학과학생연합)에서 주최하는 남아프리카공화국 심포지엄에 참석한 적이 있었어요. 야생동물의 성지인 아프리카는 늘 가보고 싶었지만, 너무 먼 곳이라 엄두가 나지 않았었죠. 아프리카도 경험하고 전 세계의 수의학과 학생들이랑 교류할 좋은 기회였죠. 남아공의 단 한 곳 있는 수의대인 프리토리아 수의대에서 한국에서 볼 수 없었던 코끼리나 기린 등 다양한 동물들의 해부 표본들도 보면서 교수님들의 야생동물 관련 강의도 들을 수 있었답니다. 해외의 수의학과 학생들과 문화적 교류도 재미있었고요. 그리고 야생동물 사파리도 방문해서 꿈에 그리던 얼룩말, 코끼리 등 야생동물들이 야생에서 지내는 모습을 직접 보며 다시 한번 졸업하고 야생동물 수의사가 되고 싶다고 다짐하는 기회가 되었어요.

Question 진료할 때 가장 중요하게 생각해야 할 부분은 무엇일까요?

책임감을 지니는 것이 무엇보다 중요하다고 생각합니다. 의사와 같이 수의사 역시 생명을 다루는 직업이니까요. 동물을 진료할 때 내가 하는 진료 행위 하나하나가 동물의 생명을 좌지우지한다는 생각으로 생명에 대한 책임감을 지니고 진료해야 합니다. 특히 동물원 내 동물들은 동물원 동물병원에서 치료하지 않으면 다른 동물병원으로 보낼 수도 없습니다. 치료하기 어려운 동물이라고 해서 포기해버리면 동물의 생명이 위험해지죠. 그래서 저는 아무리 어려운 경우라도 포기하지 않고 동물들이 건강을 찾을 수 있도록 최선의 노력을 기울입니다.

Question 수의사가 된 후 첫 업무의 경험을 듣고 싶습니다.

수의사가 되고 난 후 첫 직장은 강원도 야생동물 구조센터였습니다. 구조센터에서는 교통사고, 밀렵 등으로 인해 다친 야생동물들을 구조하고 치료한 뒤 야생으로 돌려보내는 업무를 했어요. 동물원 수의사가 된 후 첫 업무는 손가락이 다친 알락꼬리 여우원숭이의 붕대를 갈아주는 일이었습니다. 지금은 붕대를 갈아주는 일이 매우 흔한 일이지만, 그 당시에는 생소한 동물인 여우원숭이의 붕대를 갈아주는 일이 신기했었죠. '내가 정말 동물원 수의사가 되었구나'라고 느낄 수 있는 계기가 되었습니다.

Question 현재 하시는 일을 소개해 주세요.

저는 국내에서 가장 큰 동물원인 서울대공원 동물원의 동물들을 치료해주는 진료 수의사로 근무하고 있습니다. 약 250여 종, 2,500마리 동물들의 건강을 책임지며 진료하고 있습니다.

Question 서울대공원 동물원의 근로 여건은 어떤가요?

서울대공원 동물원의 수의사와 사육사들은 대부분 서울시 공무원 소속입니다. 그래서 복지와 같은 근무환경은 공무원 수준으로 좋은 편입니다. 야근이나 휴일 근무를 강요하지 않는 분위기여서 응급 진료나 위중한 동물이 없으면 대부분 칼퇴근 가능합니다. 대신 연봉 역시 공무원 수준으로 높지는 않은 편입니다.

Question 수의사가 되고 나서 새롭게 알게 된 점이 있으신지요?

수의사가 되기 전에는 수의대를 졸업하고 나면 어떤 동물이든지 뚝딱 치료하는 명의가 될 줄 알았어요. 하지만 막상 졸업하고 수의사가 되어 동물들의 진료를 시작하고 나니 학교에서 배운 지식이랑 다를 때도 있고, 워낙 많은 양을 배우다 보니 잘 기억이 나지 않아 다시 책을 찾아봐야 하는 경우도 많았어요. 특히 야생동물 분야는 학교에서 배우지 않은 것도 많아서 다시 공부해야 했어요. 또한, 학교에서 배우지 않았던 새로운 치료법과 장비들도 새롭게 나오는 상황이었죠. 수의사가 되고 나서 깨달은 것은 '수의사는 결국 끊임없이 공부하면서 새로운 치료법을 익혀야 제대로 동물들을 치료할 수 있구나'라는 것이었습니다. 수의대를 졸업한 수의사라고 해서 모두 다 동물을 제대로 진료할 수 있는 건 아닙니다. 지속적인 노력으로 실력을 키워야 제대로 된 수의사가 될 수 있어요.

수의사의 진료에 관해서 오해가 있다면 무엇일까요?

　수의사들은 동물이 아프면 겉으로 증상만 봐서 무슨 병인지 알고 치료를 할 수 있다고 오해하시는 경우가 많아요. 그렇지만 동물들은 말을 할 수 없고 정확히 어디가 아픈지 티를 내지 않는 경우가 많기에 정확한 질병을 알기 위해서는 엑스레이, 혈액검사 등 기본검사가 필수입니다. 그러나 종종 보호자들이 검사비를 더 받으려고 불필요한 검사를 한다고 오해할 때가 있는데, 이것은 사실이 아닙니다. 동물원의 경우, 호랑이나 사자 등 사나운 동물들은 단순한 혈액검사를 위해서도 마취를 해야 하죠. 가끔 사육사들이 겉으로만 보고 무슨 병인지 모르냐고 물어볼 때도 있는데, 수의사들도 검사를 안 하고는 정확히 알 수 없어서 답답할 때가 많아요. 증상만 보고 약이나 주사를 해서 회복하는 경우도 있지만, 정확한 원인을 모르면 몇 달을 치료해도 동물이 안 낫고 오히려 병이 더 악화될 수도 있습니다. 그래서 적절한 검사를 통한 정확한 원인을 찾는 것이 동물 치료에 중요한 과정입니다.

야생동물과 운명을 함께 한다

▶ 첫 출근날 진료차 앞에서

▶ 참물범의 위내시경 진료를 하는 중

▶ 호랑이 진료 세미나에서 발표 중

Question 동물을 진료할 때 남다른 접근법이 있으신가요?

저는 진료를 할 때 기존보다 더 좋은 새로운 치료법이 있으면 적극적으로 시도해 보는 편이에요. 개나 고양이와는 달리 야생동물 진료 분야는 진출하는 수의사가 적어서 그런지 정해진 치료법도 적고 질병에 대한 자료도 적은 편입니다. 그래서 동물들을 치료할 때 그전에 경험하거나 학교에서 배우지 않았던 새로운 질병을 많이 접하는 편이죠. 이럴 경우, 저는 주로 인터넷에서 외국 논문을 찾아서 새로운 치료법을 적용해보려고 노력합니다. 또한, 이전에 쓰던 약이 아닌 신약이나 새로운 장비를 통해서 최대한 적용해보려고 합니다.

Question 신약이나 새로운 치료법에 부작용은 없나요?

물론 신약들이 부작용이 있을 수도 있겠죠. 하지만 부작용보다 동물들의 치료 효과가 클 것으로 예상되는 경우 새로운 치료법을 시도해 보는 것을 두려워하지 않는 편입니다. 예를 들어 코끼리의 발굽 관리를 할 때 나이가 든 코끼리가 농이 생긴 사례가 있었어요. 농 부위를 제거하는 과정에서 코끼리가 통증이 심했던 게 문제였어요. 코끼리는 매우 마취가 어려운 동물인데, 농을 제거하기 위해 매번 마취할 수도 없고 통증을 줄이는 크림도 크게 도움이 되지 않았어요. 그럴 때 해외 논문에 액화 질소를 이용하여 통증을 줄이는 냉각 치료법이 있다는 것을 찾아냈습니다. 액화질소가스를 안전하게 분사하는 '크라이오 건(Cryo gun)'이라는 것이 있다는 거예요. 그래서 크라이오건 장비를 구매한 뒤, 액화 질소를 이용한 냉각 치료법을 적용하니 코끼리 발굽 농을 제거할 때 통증과 출혈을 감소시키는 성과를 얻을 수 있었습니다.

Question 일하시면서 가장 보람을 느꼈던
사례를 설명해 주시겠어요?

　수의사에겐, 아팠던 동물이 건강을 회복하는 것을 보는 게 제일 큰 보람인 것 같아요. 한번은 동물원의 북극여우가 사고로 앞다리가 부러졌었는데, 하필 골절 부위가 수술하기에 어려운 부위였어요. 포기하지 않고 자료를 찾아 북극여우에게 가장 적합한 수술법을 찾아 적용하였어요. 다행히 수술이 잘되고 여우의 회복 속도도 빨라서 부러진 뼈가 잘 붙게 되었습니다. 야생동물의 골절은, 수술해도 가만히 있지 않은 경우가 많아서 뼈가 잘 붙지 않는 경우가 많아요. 북극여우의 경우엔 수술도 잘되고 뼈도 잘 붙어서 다치기 전처럼 팔짝팔짝 잘 뛰어다니더라고요. 동물원을 지나다니며 건강하게 뛰어다니는 북극여우를 볼 때마다 큰 보람을 느낍니다.

Question 힘들었을 때도 있었을 텐데요?

　보람을 느낄 때와 반대로 열심히 오래 치료했지만, 결과가 좋지 않을 때가 제일 힘든 것 같아요. 검은 고니 한 마리가 다리가 골절되어서 수술한 적이 있었어요. 네 다리를 사용하는 개나 고양이와 달리 조류인 고니의 경우엔 사람처럼 두 다리를 사용해서 걷고 조류 중에서도 체중도 많이 나가는 편입니다. 그렇기에 하나의 다리라도 못 쓰게 되면 걸을 수 없게 됩니다. 그래서 특별히 신경을 써서 수술하였고 다행히 수술은 잘 되었고 뼈도 잘 붙었습니다. 하지만 수술 후 뼈가 붙는 동안 수술했던 다리에 근육 위축이 심한 상태였어요. 고니를 걷게 하려고 열심히 재활치료를 했습니다. 재활치료 덕분인지 고니가 조금 걷게 되었는데, 어느 날 갑자기 고니가 폐사했습니다. 죽기 전날까지 밥도 잘 먹고 재활치료도 잘 받았는데 장기간 입원이 큰 스트레스였는지 갑자기 죽어서 매우 안타깝고 힘들었어요.

치료하던 동물이 안타까운 결말로 이어질 때

마음을 어떻게 추스르시나요?

저는 일을 하다가 생긴 안 좋은 기억은 웬만하면 집까지 가져가지 않으려고 노력하는 편입니다. 집에서도 계속 그 일을 생각하고 있으면 기분만 나빠지고 해결되는 건 없다고 생각해요. 그래서 치료하던 동물이 죽으면 그 당시에는 많이 슬퍼하고 안타까워하지만, 최대한 잊고 집에 가서는 털어내기 위해서 가족들과 대화를 많이 합니다. 집에 있는 반려 고양이와 놀며 힐링하면서 스트레스를 풀려고 노력합니다.

야생동물을 진료하면서 생긴 결심이 있으신지요?

저는 야생동물 진료 분야의 전문가가 되고 싶습니다. 내과 전문의나 외과 전문 수의 사는 많은 편인데 야생동물 전문의는 국내에 아직 단 한 명밖에 없는 상황이죠. 야생동물 전문의가 되려면 최소 5년 이상 야생동물 진료 경력이 있어야 하고 논문 발표, 시험을 봐야 합니다. 아직 저는 야생동물 진료 경력이 4년밖에 되지 않았어요. 그래서 앞으로 동물원에서 꾸준히 야생동물들의 새로운 질병, 치료법 등을 연구하면서 경력을 쌓고 전문의 시험에 응시해서 야생동물 전문의 자격을 얻고 싶은 목표가 있습니다.

Question

지인이나 가족들에게 수의사 직업에 대하여 추천 의사가 있으신지요?

수의사라는 직업은 보람도 있고 분야도 다양해서 저는 수의사라는 직업을 주변 지인에게 추천하는 편입니다. 다만, 업무강도에 비하면 돈을 많이 벌기는 쉽지 않습니다. 단순히 전문직이나 돈을 많이 벌고 싶어서 수의사를 하려고 하면 말리곤 합니다. 동물을 좋아하고 생명에 대한 사명감이 있는 사람이라면 수의사라는 직업은 참 매력적인 직업인 것 같습니다.

저는 어렸을 때부터 수의사가 되는 것이 꿈이었습니다. 수의사가 되고 싶어서 수의대를 가려고 정말 열심히 공부했어요. 다들 그렇듯이 공부하는 게 힘들었어요. 하지만 수의사라는 꿈이 있었기에 열심히 했습니다. 그런데 수능을 볼 때 너무 긴장한 탓인지 평소 실력보다 한참 못 미치는 결과가 나왔죠. 결국 수의대를 가지 못하고 다른 과에 가게 되었어요. 수의대에 가지 못하게 되었을 때는 정말 하늘이 무너지는 줄 알았어요. '정말 소망하던 꿈이었지만 이루지 못하는구나'라고 생각하며 좌절을 많이 했었죠. 처음에는 반수를 할까 했지만, 생각보다 대학교 생활이 재미있어서 편입을 결정하게 되었어요. 영어 실력을 키우기 위해 유학도 다녀왔고요. 편입 시험에는 생물, 수의학적 지식과 영어 시험 위주로 시험을 보았어요. 생물 관련 공부를 열심히 했고 영어 실력을 다져 놓아서 고대하던 수의대 편입 시험에 합격할 수 있었습니다. 바로 수의대에 가는 것보다 조금 늦게 졸업했지만, 편입 전에 다른 과를 전공한 것은 생물 지식과 영어 실력 향상 등 결과적으로 저 자신을 단단하게 만드는 소중한 시간이었어요. 지금 이 글을 읽고 있는 학생들도 원하는 꿈이 있는데 성적이 안 나오거나 기대에 미치지 않아서 '꿈을 포기할까?' 하고 좌절하고 있는 학생들도 있을 거예요. 그런 학생들에게 아직 꿈을 포기하기엔 너무 이르다고 전해주고 싶어요. 제가 수의대 편입 준비를 할 때, 50대이신데도 수의대 편입을 준비하시고 합격하신 분도 봤어요. 지금 당장 성적이 나오지 않아서 원하는 과에 가지 못해도 편입이라는 제도가 있으니까 언제든지 다시 도전할 기회는 있습니다. 그러니 포기하지 마시고 꿈을 이룰 수 있기를 응원합니다.

어린 시절 사업가인 아버지의 뒤를 이어 사업가의 꿈을 꾼 적도 있었다. 중학생 어린 나이에 미국으로 조기유학을 떠나며 대학에서 생물학 학위를 취득하고 한국으로 돌아왔다. 미국 유학 시절 유기견 보호센터에서 봉사활동을 하던 중, 한 수의사의 제안으로 동물병원에서 2년간 아르바이트를 하면서 수의사로서의 마음가짐을 익히게 된다. 대학 졸업 후 한국에 있는 수의대에 편입하였으며, 미국 수능 강사를 병행하면서 수의대의 학비와 생활비를 충당하였다. 현재는 한국마사회에서 진료와 백신접종 수의사로 근무하고 있다. 수의학적 지식보다 앞서는 것이, 바로 동물을 향한 진심 어린 애정이라는 신념을 품고 수의사로서의 역량을 지속해서 키워나가고 있다.

한국마사회 진료·백신접종 담당
김영인 수의사

현) 한국마사회 진료 및 백신접종 담당 수의사
- 수의장교 군복무
- 미국 수능(SAT) 강사 활동
- 건국대학교 수의대 학사
- 미국 Washington University in St.Louis
  생물학과 졸업

수의사의 스케줄

김영인
수의사의
하루

* 출근하여 먼저 전날 새벽 당직 수의사에게 입원환축에 대한 인수인계를 받은 후, 약물 처치 등을 진행합니다. 당일 내원하는 초진 및 재진 환축에 대해 진료하고, 진료기록부를 작성합니다. 수술이 필요한 경우에는 위장관계 및 관절에 대한 수술도 진행합니다. 수술이 없을 경우에는 백신접종사업을 진행합니다. 백신접종사업은 국가보조금 사업이므로 농림식품부와 협력해서 진행을 합니다. 백신접종사업은 대부분 행정업무이므로, 컴퓨터 앞에서도 시간을 많이 보내는 편입니다.

20:00 ~ 23:00
▶ 다음날 있을 케이스에 대해 공부 및 취침

07:30 ~ 09:00
▶ 기상 및 출근

18:00 ~ 20:00
▶ 퇴근 후 저녁 식사
▶ 운동

09:00 ~ 10:00
▶ 당직 수의사에게 입원환축에 대한 인수·인계 받은 후 약물 처치 등

10:00 ~ 11:30
▶ 내원 환축 진료 및 진료기록부 작성

[수술이 있을 경우]
13:30 ~ 18:00
▶ 수술이 필요한 환축에 대해 (위장관계 및 관절에 대한) 수술 진행

[수술이 없을 경우]
13:30 ~ 18:00
▶ 백신 접종사업 진행

11:30 ~ 13:00
▶ 점심 식사

미국으로
조기유학을
떠나다

▶ 어린시절 동생과 함께

▶ 유학 시절 대학교 졸업식에서

▶ 수의대 본과 4학년 소 실습

아버지의 뒤를 이어 사업가의 꿈을 꾸셨다고요?

어린 시절 친한 친구들과 함께할 때 시끌벅적하고 활발한 학생이었습니다. 사업을 하시는 아버지를 보고 막연히 사업가가 되겠다는 꿈을 가지고 있었죠. 아버지는 사업가로 바쁘셨지만, 회사와 가정 둘의 균형을 잘 유지하며 최선을 다하시는 분이셨죠. 미국 유학 시절 아버지가 바쁜 시간 중에 찾아오셔서 미국 여행을 한 적이 있는데 그것이 기억에 많이 남습니다. 가족관계는 아버지, 어머니, 여동생이 있습니다.

Question **유학하게 된 계기와 유학 생활이 궁금해요**

어려서 영어 과목을 가장 좋아했고 잘했던 것 같아요. 중학교 당시(2001년 즈음) 조기유학이 유행이었고, 영어를 좋아했기에 미국에서 공부하고 싶다고 부모님께 말씀드려서 중학생 때 유학을 하게 되었습니다. 미국 대학교 시절 함께했던 반려견의 영향으로 한국에 돌아와서는 수의대로 진학을 하게 되었고요. 미국에서의 대학 시절에는 학생회 등 다양한 교내활동을 했지만, 가장 기억에 남는 것은 미주리주 유기견보호센터로 주기적으로 봉사활동을 간 것입니다. 당시는 수의사가 아니어서 할 수 있는 것이 제한적이었지만, 가장 보람된 기억입니다.

Question 유기견보호센터 봉사활동 중에 기억에 남는 일이 있나요?

유기견보호센터에서 봉사활동 할 때 파양된 강아지 중에 유난히 어린 강아지가 있었어요. 당시에 일하던 동물병원 원장님께 말씀드려서 병원에서 키울 수 있게 되었어요. 2년간 저도 그 동물병원에 근무하면서 행복하게 살아가는 강아지를 보며 보람을 느꼈습니다.

Question 처음부터 수의사가 목표였나요?

그렇지 않습니다. 다만 부모님께서는 제가 하고 싶어 하는 것을 응원해주시는 편이었어요. 미국 대학 시절 생물학을 전공했기 때문에 저는 식품회사에 들어가는 것을 목표로 학교에 다녔습니다.

Question 진로 선택에 영향을 준 활동이 있으셨나요?

미국 유학 시절 동물병원에 반려견을 데려간 적이 있어요. 그런데 그 동물병원 수의사 선생님이 주말에 동물병원에 나와서 아르바이트를 해보라고 제안하셨죠. 그 후 2년간 주말마다 그 수의사(Dr. Wilson) 선생님의 지도하에 다양한 경험을 하며 일하게 되었습니다. 이분에게 동물을 대하는 태도 및 마음가짐에 대해 많은 걸 배웠고, 지금 진료에도 큰 영향을 끼쳤습니다.

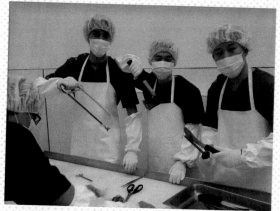

▶ 수의대 본과 4학년 해부학 실습

SAT 강사로
일하면서 공부했던
수의대생

▶ 수의대 본과 4학년 반려동물 실습

▶ 수의대 본과 4학년 실습실에서

Question 미국 수능 강사로 일하셨다고요?

미국 수능 강사는 한국에서 미국으로 유학 가는 유학생들을 상대로 미국에서 치르게 되는 수능(SAT)을 가르칩니다. 저는 유학을 마치고 한국에 들어오는 동시에 수의대로 학사편입을 하였고, 수의대를 다니며 학비 및 생활비를 벌기 위해 4년간 SAT 강사를 병행했었죠. 실제로 한국에서 영어를 가르치는 미국인들도 많이 있습니다. 그들은 반려동물을 많이 키우는데, 이때 다양한 대화를 나누며 한국과 미국의 반려동물 문화의 차이점을 파악할 수 있었죠.

Question 현재 하고 계신 일에 대한 설명을 부탁드립니다.

현재 한국마사회에서 수의사로 근무하고 있습니다. 입사 직후에는 한국마사회 소유의 목장으로 발령받아 진료 및 인공수정 사업을 담당했었습니다. 현재는 동물병원에서 진료 및 백신접종 사업을 담당하고 있습니다. 한국마사회는 공기업이기 때문에 진료뿐만 아니라 각종 서무업무 및 행정업무를 해야 하는 특성이 있습니다. 또한 공기업의 특성상 상세 급여명세는 인터넷에 공공기관 경영정보 공개시스템에 공개되어 있습니다.

 **한국마사회의 동물병원에서는 말 외에 다른 동물도 진료하시나요?**

그렇지 않습니다. 말 동물병원이므로 오로지 말과 관련된 진료만 합니다.

 **한국마사회에 있는 동물병원에 대해서 좀 더 구체적으로 설명 부탁드립니다.**

한국마사회에는 전국적으로 5개의 동물병원 (과천경마공원, 제주경마공원, 제주목장, 장수목장, 부산경남경마공원)을 가지고 있습니다. 각 동물병원에서는 경마장 및 목장 내 말의 진료를 기본적으로 경마 관련 및 다양한 행정업무를 동시에 수행합니다.

Question 진료하시면서 가장 기억에 남아 있는 일이 있으신지요?

첫 단독진료가 기억에 남습니다. 의사 초년 때는 선배의 지시에 의존하게 되는데, 단독으로 혼자 진료를 보게 되었을 때 다리에 큰 열상을 앓고 내원한 말이 있었습니다. 빠르게 책도 찾아보고, 선배 수의사들에게 전화도 돌리며 정신없는 진료였지만 말이 잘 회복되어 보호자로부터 감사하다는 문자를 받았을 때는 정말 보람찼던 것 같습니다.

Question 수의장교로 군복무를 하셨는데요. 수의장교가 뭔가요?

　　수의대를 졸업하고 수의사 면허를 가진 사람들에게는 수의장교로 의무복무를 통해 군복무를 대체할 수 있는 병역제도가 있습니다. 저는 수의장교로 임관해 후방 전 지역의 식품을 검수하는 hub의 총괄 역할을 했습니다. 매일 새벽에 입고되는 육류 및 각종 식품들을 다양한 검사를 통해 출고를 허가하거나 불허함으로써 군 장병들의 식품매개 질병예방에 힘썼습니다.

Question 군 생활 중에 기억에 남는 일이나 에피소드가 있나요?

　　수의장교로 근무할 때 옆 부대에 군견 진료시설이 있어서 시간이 날 때 가서 군견 진료를 도왔던 기억이 납니다. 군견은 대체로 건강관리가 잘 되어있고 기본 복종훈련이 되어있어 볼 때마다 멋지다는 생각이 들었고, 퇴역군견 민간분양 등 좋은 취지의 사업에 참여할 수 있는 기회였습니다

수의장교 군복무 제도와 하는 일

수의장교로 임관하려면 수의사관 후보생에 선발되어야 합니다. 본과 1학년생을 대상으로 모집하는 수의사관 후보생은 예과 1,2학년 성적, 수능성적, 신체등위 등을 고려하여 선발됩니다. 수의사관 후보생 중에서도 군장학생, 현역 및 장기복무 지원자를 우선으로 현역 수의장교로 분류하게 되고요. 수의장교가 되고 싶은 수의대생은 수의사관 후보생의 자격을 얻을 수 있도록 학부 생활을 열심히 해야 합니다. 특히, 수의장교 장기복무를 고려한다면, 군장학생 제도를 통해서 본과 4년 과정을 장학금을 받으며 다닐 수 있는 혜택도 있습니다.

수의장교는 군용동물의 진료 외에도 군 장병들에게 제공되는 식품과 식수에 대한 안전성 검사, 곤충매개질환을 포함한 인수공통전염병 발생을 예방하기 위한 방역활동, 혈액관리업무 등을 통해 군 장병들의 건강을 증진하고 강건한 전투력을 보존하기 위한 중요한 역할을 합니다. 수의장교가 근무하는 곳도 사단 수의반, 식품검사대(식검대), 군견훈련소, 군국의학연구소, 군마대 등 다양합니다.

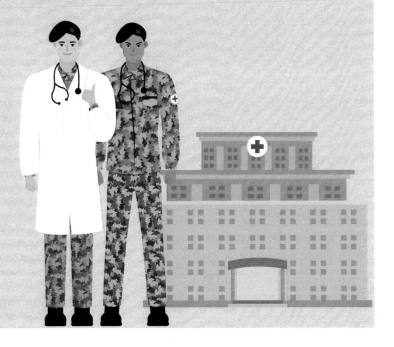

사람, 동물, 환경을 하나로

▶ 수의장교로 군복무 중 군견과 함께

▶ 마사회 내 승용마 노르위치와 함께

▶ 마사회_수술 후 회복실에 있는 말에게 산소 공급 중

Question 동물진료에 대한 개인적인 철학이 있으실 텐데요?

저의 진료 철학은, 이론을 많이 알고, 각종 연구 결과를 숙지하고 있는 것도 중요하지만, 특히 동물을 진심으로 대해야 원하는 치료 결과를 얻을 수 있다는 것입니다.

Question 스트레스를 풀기 위한 취미 활동이 있으신지요?

취미 활동은 운동을 좋아 하고요. 그중에서 특히 라켓볼과 골프를 좋아합니다.

Question 미래를 위한 자기계발 활동은 어떻게 하시나요?

수의학과 관련된 여러 케이스에 대해서 많은 자료도 수시로 찾아보고 수의학 공부를 꾸준히 하고 있습니다. 일단 건강해야 공부도 열심히 하고 수의사로서의 일도 열정적으로 할 수 있기 때문에 운동하면서 건강도 꼼꼼히 챙기고 있습니다.

Question 수의사를 꿈꾸는 청소년들에게 권장하고 싶은 책이 있는지요?

'수의사가 말하는 수의사'라는 책을 권장하고 싶습니다. 22명의 수의사가 자신의 직업에 관하여 허심탄회하게 털어놓은 책이에요. 일반적인 개, 고양이 등의 반려동물과 더불어 소, 닭, 말 등과 같은 산업 동물에 관한 이야기도 있어서 재미있게 읽었습니다.

Question 앞으로의 비전을 묻고 싶어요?

앞으로 저의 목표는 수의사로서 반려동물의 일생을 어떻게 하면 더 행복하게 만들 수 있을까 고민하며 살아가는 것입니다. 코로나19로 인해서 반려동물과 집에 있는 시간은 더 길어졌습니다. 진정한 의미로 '가족'이 되는 전환점이었다고 생각하는데요. 수의사로서 사람, 동물, 환경이 모두 함께 어우러질 수 있는 '원헬스(One health)'에 대해 관심 가지며 살아가는 것이 목표입니다.

Question 직업으로서 수의사의 장점은 무엇인가요?

수의사는 많은 매력을 가진 직업이에요. 강아지, 고양이를 비롯해 소, 말, 돼지와 같은 대동물, 그리고 이구아나, 고슴도치 같은 특수동물까지 관심이 가는 분야에서 일할 기회가 아주 많습니다. 물론, 생명이 연관되어 있다 보니, 평생 공부해야 하고, 퇴근 후 친구들과의 약속에 조금 늦을 수는 있습니다. 동물들의 생명을 소중히 여기고, 그 여정을 함께할 생각이 있다면 이보다 더 좋은 직업이 있을까요?

Question 선배로서 수의사를 꿈꾸는 청소년들에게 해주고 싶은 말씀은?

수의사라고 하면 강아지, 고양이를 진료하는 수의사를 떠올리기 쉽고, 단순히 그 동물들이 좋아서 수의사를 꿈꾸는 학생들이 많습니다. 단순히 강아지, 고양이가 좋아서 수의사를 꿈꾸기보다는 수의사가 되어서 동물의 삶을 어떻게 바꿔줄 수 있을지 깊은 고민을 해볼 필요가 있을 것 같습니다.

어린 시절 독서와 학습에 흥미를 느꼈으며 특히 이과 분야에 관심을 보였다. 전남대학교 수의과대학에 진학했으며 대학 초기에는 세계 여행을 다니며 견문을 넓히기도 하였다. 졸업 후에 수의사로서 동물병원에서 진료하면서 반려동물 영양제에 남다른 관심을 기울이게 된다. 그래서 사료 회사에 자문하는 일을 겸하다가, 동물병원을 나온 후에는 풀무원에 입사하여 반려동물 식품 브랜드 런칭과 제품 개발을 담당하게 된다. 사료와 영양제를 개발하면서 창업의 뜻을 키웠고, 마침내 자신만의 철학을 담은 영양제 브랜드를 개발하는 창업자의 길로 접어들게 되었다. 현재 강아지 영양제와 고양이 영양제 브랜드를 개발해서 운영하고 있으며, 제품군을 반려동물 식품이나 사료로 확장하려고 지속해서 제품 개발에 박차를 가하고 있다.

반려동물 영양제 ㈜베츠 대표
이라미 수의사

현)(주)베츠 대표, 제품개발 총괄
- 풀무원 아미오 런칭 및 상품개발 담당
- 분당 행복이 있는 동물병원 부원장
- 네도딘벳랩 임상병리실 실장
- 힐스총판 성보사이언스 학술마케팅 수의사
- 인천 연수동물병원 진료수의사
- 안양 수동물병원 인턴수의사
- 전남대 수의과대학 수의학과 학사

수의사의 스케줄

이라미 수의사의 하루

* 제가 워킹맘 이어서 아침에 아이 등, 하원을 제가 다 하고 있거든요.
아침에 일어나면 아기부터 먼저 챙겨서 어린이집 보내고요. 그때부터 일을 시작해서 아이 하원 할 때까지 일하고 있어요. 지금 저희 브랜드 전반적인 마케팅이랑 제품 개발뿐만 아니라 CS 하는 일들도 있고 여러 가지를 한꺼번에 다 같이 하고 있습니다.

24:00 ~
▶ 취침

07:00 ~ 09:00
▶ 기상 및 육아
(어린이집 등원)

21:00 ~ 24:00
▶ 아기 재운 후
부족한 업무

09:00 ~ 13:00
▶ 업무

14:00 ~ 16:00
▶ 업무
16:00 ~ 21:00
▶ 육아 및 저녁
(어린이집 하원)

13:00 ~ 14:00
▶ 점심 식사 및 휴식

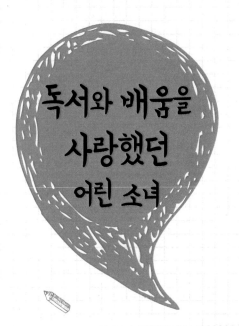

독서와 배움을
사랑했던
어린 소녀

▶ 어린 시절

▶ 피아노 교습소에서

▶ 어린 시절_프리스타일

Question 어린 시절에 어떤 성향의 아이였나요?

약간 프리한 스타일이었죠. 어떻게 보면 좀 심심한 스타일이었는데 마냥 노는 것보다는 책 읽고 공부하는 걸 좋아했던 것 같네요. 궁금증도 많고 배우는 걸 좋아했었죠. 아무거나 잘 먹지는 않았습니다. 몸에 좋다고 하는 것 위주로 먹었던 것 같아요. 젊었을 때부터 영양제도 잘 챙겨 먹었답니다. 그러다 보니까 동물 쪽 영양에도 관심을 기울여서 이 분야로 접어들었네요.

Question 좋아하거나 잘하는 분야가 있으셨나요?

원래부터 이과 분야를 좋아했어요. 기본적으로 책 읽는 걸 좋아하긴 했었지만, 수학이나 과학을 좋아하는 편이었거든요. 학창 시절 수학 문제를 웃으면서 풀고 있으면, 동생은 자기와는 좀 다른 과라고 느꼈다고 하네요.

Question 어려서부터 수의사가 되려고 하셨나요?

제가 글 쓰는 걸 좋아해서 작가가 되는 게 꿈이었어요. 사실 수의학과와 관련은 없었거든요. 부모님이 독실한 가톨릭 신자이셔서 어렸을 때 저희 엄마는 제가 수녀가 되기를 바라시긴 하셨었어요.

어떻게 수의학과에 진학하게 되었나요?

엄마가 동물을 그렇게 좋아하지는 않으셨기에 어렸을 때 저희가 반려동물을 키운 적은 없었어요. 대학교는 수의학과가 전망이 좋다고도 하였고 주변에 수의학과 다니는 분도 있었어요. 사실 우연히 가게 된 게 좀 더 큰데요. 수능 보고 나서 성적이랑 대학교 졸업했을 때 전망 같은 걸 보고 진학을 결심했었죠. 그런데 졸업 후 임상을 직접 해보니 수의사라는 직업은 확실히 사명감이 필요하다는 생각이 들어요.

수의학과에는 어떠한 학생이 어울릴까요?

진학이나 진로를 고민하는 학생 입장이라면, 수의학과 진학이 단지 점수에 맞춘다거나 직업 전망 차원에서만 이루어지면 곤란하다고 생각해요. 진짜 동물을 좋아하고, 사명감도 가지고 있는 그런 친구들이 가야지 가장 오랫동안 할 수 있는 것 같아요. 중간에 다른 분야로 옮기는 경우가 종종 있습니다. 일이 생각보다 쉽지 않아서요.

수의학에 도움이 될 만한 학창 시절 활동이 있으셨나요?

학창 시절에 생물이나 화학과 같은 기초적인 과학이 대학교에 가서 동물에 관한 생리학을 배우는 데 도움이 됐어요. 특별한 활동 사항은 없었던 것 같네요. 다만 고등학교에서 배우는 내용을 충실히 익히는 것만으로도 대학 수업에 많은 도움을 준답니다.

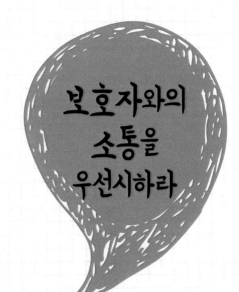
보호자와의
소통을
우선시하라

▶ 고등학교 교정에서

▶ 학창 시절 친구들과 함께

▶ 대학 생활 친구들과 함께

대학 생활은 어떠셨나요?

수의학과가 6년제로 바뀐 지 얼마 안 됐을 때 제가 입학을 했었어요. 의대처럼 예과 2년, 본과 4년으로 되어 있었죠. 고등학교 때까지 계속 공부만 하다가 대학교 가니까 조금 풀어져서 수의학 공부보다는 여행도 많이 다니고 대외적인 활동을 좀 더 많이 했었어요. 본과 가면서부터는 본격적으로 다시 공부하기 시작했었습니다. 본과는 의대랑 비슷하게 거의 모든 커리큘럼이 다 짜져 있어요. 자기가 선택해서 듣기보다는 거의 고등학교 공부처럼 풀로 커리큘럼이 다 짜져 있는 대로 그냥 계속 공부만 하는 방식이거든요. 그렇게 해서 수의사 국가고시도 준비하며 시간을 보냈습니다.

Question 대학 기간 특별하고 유익한 추억이 있나요?

우리 학교에서 하는 해부 동아리 활동을 했었어요. 예과 가고 나서는 여행하고 싶은 마음이 커서 1년 휴학하고 1년 내내 유럽이랑 세계 몇 군데 여행을 다녔었어요. 그러면서 세상을 보는 시야도 넓어지고 내게 도움이 많이 됐던 것 같아요

Question 수의학과를 졸업하고 나서 진로가 궁금합니다.

수의사라고 하면 보통 동물병원의 진료 업무만 생각하시는데요. 공무원 검역이라고 외국에서 수입되는 고기 종류를 검역하는 업무도 있고, 소나 돼지 같은 가축들을 돌보는 대동물 수의사들도 있어요. 또 전염병이 돌았을 때 전염병을 관리하는 수의사도 있고, 동물 실험을 통해서 효능 같은 걸 평가 하는 일을 하는 예도 있고, 생각보다 업무 분야가 매우 다양해요. 저는 특별히 영양 쪽에 관심이 많아서 별도로 공부를 했었어요. 수의사가 되기 위해서 학과에서 준비할 거는 수의사 고시만 통과하면 수의사 자격이 되는 거라서 그 이후에 어떤 분야로 갈 것인가를 결정하고 자기한테 맞는 분야를 선택하는 게 중요합니다. 동물병원에서 강아지나 고양이 돌보는 소동물 이외에 분야가 다양하게 있으니까 신중하게 결정하면 좋을 것 같아요.

Question 동물 진료 시에 가장 중요한 점이 무엇일까요?

진료할 때 동물을 키우는 보호자와의 소통이 제일 중요합니다. 그 동물의 현 상태를 가장 잘 아는 사람이 보호자거든요. 검사를 해보는 것도 중요하지만, 검사로도 드러나지 않는 부분도 있을 수 있거든요.

Question 첫 동물병원에서의 일은 어떠셨나요?

동물병원은 체력적으로 굉장히 소모가 많습니다. 동물들을 안고 데리고 가서 잡아주고 사람처럼 가만히 있는 게 아니기 때문에 보정도 해 줘야 하죠. 동물의 아픈 부분에 대해서 보호자랑 소통해서 얘기해야 하기 때문에 그만큼 신경을 많이 쓰기도 하고요. 이 일에 대한 사명감이나 의미를 부여하지 못하면 힘들 수도 있어요.

진료 중에서 가장 기억에 남는 일이 있으신가요?

제가 진료 수의사로 근무할 때였는데 좀 나이 드신 여자 보호자셨어요. 자식들이 다 출가하고 강아지를 자식처럼 키우시는 분이셨죠. 강아지가 피부 알레르기도 심하고 눈에도 질환이 있었고 여러 가지 질환이 많은 강아지였어요. 귀도 알레르기 증상이 심해서 귀 피부가 많이 안 좋은 상태였고, 서울대까지 진료를 다니면서 아이에게 굉장한 애정을 지니고 병원을 수시로 오시는 분이셨어요. 거의 2~3일에 한 번은 병원에 꾸준히 오셨답니다. 처음 입사를 했을 때 그분이 제 담당이었는데, 얘기를 듣다 보니 그 마음이 충분히 이해되더라고요. 소독 좀 해달라고 오시기도 하고, 이야기하시는 거 들으면서 말동무처럼 되었죠. 병원을 떠나면서 마지막 인사를 드렸는데 그분이 정말 고마웠다고 하시면서 선물도 챙겨주셨어요. 다시 돌아오면 꼭 연락 달라고 하시더라고요.

▶ 제품 전시회 참가

반려동물의
영양을
책임지다

▶ 제품 홍보 촬영장에서

▶ (주)베츠 대표 이라미 수의사

Question 현재 하고 계신 일에 대해 알려주세요

지금은 베츠라는 반려동물 영양제 브랜드를 제가 개발해서 운영하고 있어요. 강아지 영양제와 고양이 영양제이고요. 제가 대표로서 운영하고 있고 제품군을 반려동물 식품, 사료 쪽으로 확장을 하려고 계속 제품 개발을 하고 있어요.

Question 회사를 창업하게 된 계기가 있으신가요?

처음에는 진료수의사로 근무하다가 영양 쪽에도 관심이 있어서 그쪽에 관심을 두게 되었어요. 다른 사료 회사에 자문하는 일도 겸하게 되었고요. 그렇게 하다 보니까 제품 개발 쪽에도 일하게 되고 점점 업무가 그 분야로 기울게 되었어요. 마지막으로 일했던 곳은 풀무원에서 반려동물 식품 브랜드를 런칭하고 제품들을 개발하는 일이었는데요. 그렇게 개발을 하다 보니까 회사의 제품을 개발해 주는 그 제품의 콘셉트와 제가 하고 싶은 제품의 콘셉트가 꼭 일치하지만은 않더라고요. 제가 만들고 싶은 제품의 철학을 담아보고 싶다는 욕구가 강했던 것 같아요. 그래서 창업을 시작했습니다.

수의사가 만들었다는 콘셉트의 제품들이 물론 저처럼 회사 대표가 되어서 직접 제품을 만드는 경우는 드물지만, 수의사를 회사의 자문 수의사로 내세우고 하는 경우는 꽤 있어서 그게 특별한 차이점이나 차별점이 된다고 생각하지는 않았어요. 그래서 고객이 만족하려면 제품을 사용했을 때 영양제로서 효과가 있어야 하고, 영양제 중에는 효과는 좋지만 잘 안 먹는 제품들이 매우 많기 때문에 이걸 잘 먹게만 해준다면 그때부터는 분명히 재구매로 이어질 거라고 판단했죠. 그 점에 있어서 고객들에게 꽤 어필됐던 것 같아요. 사실 신규 고객을 창출하려면 광고도 많이 해야 하고 홍보비도 많이 드는데 한 번 이용하신 분들이 재구매를 많이 하시기도 하고 입소문을 내주시는 편이어서 생각보다 쉽게 고정 고객층이 생긴 것 같아요.

▶ 직접 개발한 영양제 제품

Question 일하시면서 보람을 느낄 때는 언제인가요?

지금은 아무래도 저희가 영양제다 보니까, 안 좋았던 동물들이 저희 영양제 먹고 좋아졌다는 리뷰 올려주시면 매우 뿌듯하죠. 또 아픈 동물들이 많이 먹는 제품이니까 상담 문의도 거의 A4 용지 수준의 양으로 오거든요. 히스토리를 다 말씀해 주셔야 자세하게 상담이 되니까요. 그렇게 했을 때 보호자들이 되게 만족해하시고 또 그런 분들을 보면 보람되기도 해요. 그런 분들이 한 번씩 리뷰를 써주시면 정말 장문으로 써주시거든요. 그렇게 하면서 저희 브랜드가 또 자리를 잡는 것이지요.

Question 스트레스는 어떻게 해소하시는지요?

저는 특별한 취미가 없어서 그냥 잊으려고 노력을 해요. 스트레스가 있는 일이 있으면 제가 어떻게 한다고 바뀔 수 있는 일이 아니면 그냥 빨리 포기합니다. 어차피 신경 쓴다고 해결될 일이 아니니까요. 사람으로 인한 스트레스라면, 그 사람 원래 그런 사람이니까 그냥 잊어버리자고 생각하고 다른 좋은 일과 제가 노력해서 바뀔 수 있는 더 나은 일에 노력을 기울이는 편이에요.

Question 앞으로 목표는 무엇인가요?

일단 제 브랜드를 시작했고, 다행히 어느 정도 안정적으로 가고 있는 것 같아서 앞으로 제 브랜드를 더 키우고 고객들이 믿을 수 있는 브랜드로 만드는 게 가장 큰 목표입니다. 지금은 제가 혼자서 일하다 보니 부족한 게 많아요. 예전에 함께 일했던 동료들과 연결이 되어서 더 큰 브랜드로 성장시키고 싶습니다.

Question 직업으로서 수의사의 매력은 무엇인가요?

동물들이 좋아지면 보호자가 너무 기뻐하죠. 이것이 이 일의 보람이고 재미입니다. 제품 브랜드를 개발하는 일도 의미가 있고요. 진료하다 보면 보호자랑 같이 키우는 것처럼 분명히 정이 들게 됩니다. 그랬던 동물이 잘 안 되거나 노환으로 죽으면 많이 힘들죠. 어쨌든 수의사의 길은 다양한 분야가 있고 그 분야마다 보람과 재미가 있답니다.

Question 수의사 직업에 관심 있는 청소년들에게 해주고 싶은 말씀은?

수의사라는 직업이 전문직이기도 하고 생명을 다루는 일이기에 멘탈 관리가 중요합니다. 직업 전망이나 경제적인 측면에 치우쳐서 선택하게 된다면, 어려울 수 있어요. 수의사로서 고민이나 감정적인 소모도 분명히 있기 때문에 충분히 알아본 후에 결정하면 좋을 것 같네요. 수의대가 6년제라서 공부에 대한 열정도 있어야 하고요. 정말 사명감이 있지 않으면 중간에 이탈하기도 하죠. 수의사를 하다가 의학전문대학원이나 치의학 전문대학원 쪽으로 전향하는 예도 있고요. 동물에 대한 사명감과 애정을 품고 도전한다면 직업적 가치와 보상은 충분히 주어지리라 봅니다.

초중고 시절 공부에는 특별한 애정이 없었기에 학업상을 받아본 적이 없었다. 하지만 대학 시절부터는 자신이 원하는 공부였기에 투지를 불태우며 공부하게 된다. 수의과대학 수석 졸업으로 '성적 최우수상'을 받기도 하였다. 또한, 대학 재학 기간 꿈꾸던 보디빌딩 대회에 나가서 프로와 아마추어가 모두 출전하는 전국 대회에서 보디빌딩 '뷰티바디 부문 4위'에 입상하였다. 수의과를 졸업한 후에 심각한 방황기가 있었으나, 황상민 박사에게 심리 상담을 받으며 위기를 극복하였다. 그리고 심리학에 관심이 많아서 'WPI 심리상담 전문가 과정 초급과정' 수료증과 'WPI 심리상담 전문가 과정 중급과정'을 이수하였다. 졸업 후에 서울대학교에서 수의 내과학을 전공하였다. 현재 중형동물병원의 내과 원장으로 근무하면서 수의사로서 다양한 경험을 쌓아가는 중이다.

내과 전공 진료수의사
김소연 수의사

현) 우리동물메디컬센터 내과 원장
· 서울대학교 응급수의학회 회원
· 센트럴동물메디컬센터 내과 과장
· 서울대학교 수의과대학원 내과 진료수의사
· 서울대학교 수의과대학원 수의 내과학 석사
· 전남대학교 수의과대학 수석졸업

수의사의 스케줄

김소연
수의사의
하루

23:00 ~ 01:00
▸ 개인 시간
▸ 취침

08:00 ~ 09:30
▸ 기상 및 아침식사
▸ Tea time
▸ 집안 청소

19:00 ~ 23:00
▸ 진료
▸ 걸어서 퇴근

09:30 ~ 12:00
▸ 등산 및 휴식

18:00 ~ 19:00
▸ 저녁 식사

12:00 ~ 18:00
▸ 걸어서 출근
▸ 진료

고양이들의
엄마가 되다

▶ 대학교 졸업식에서

▶ 대학원 졸업식 때

▶ 머슬대회에서

Question 어린 시절을 어떻게 지내셨나요?

저는 4남매 중에서 막내딸로 자랐습니다. 늘 가족들이 저에게는 모든 것들을 허용해 줬었고 그런 환경을 너무 당연하게 받아들이며 자랐어요. 어릴 때는 전혀 몰랐는데 너무 철부지로 자라서 혼자 할 줄 아는 일이 별로 없었어요. 대학 졸업하고서도 혼자 관공서 에 가서 일 처리하는 것이 두렵고 힘들 정도로요. 완전히 응석받이로 자랐다는 것을 독 립하고서야 알았답니다. 생존을 위해 하나씩 익히고 이제는 혼자 많은 일을 척척 해 나 가면서, 제가 얼마나 세상을 모르고 자랐는지 깨달았어요.

Question 좋아했던 과목이나 분야가 있으셨나요?

예체능 분야를 많이 좋아했어요. 미술에는 정말 소질 있다는 말을 많이 들었죠. 다만 공부에는 정말 흥미가 없었어요. 그랬던 제가 공부로 대학원까지 갔다니 놀라울 따름이 죠, 동물들의 힘은 대단합니다.

Question 학창 시절 '망아지'처럼 살았다고요?

네. 어린 시절 '망아지'라는 단어로 저를 정의할 수 있어요. 너무 철이 없다 보니 당연 히 매일 학교에 지각하고 숙제는 하고 싶지 않으면 안 했고요. 당연히 학교 내신이 엉망 이었죠. 주로 택시를 타고 등교했지만 그래도 매일 지각했던 거 같아요. 가족들이 왜 숙 제를 안 했는지 물었을 때 저의 대답은 "왜 해야 하는지 모르겠다. 이런 불필요한 일을 나에게 시키는 게 이해가 안 된다." 였어요. 지금 생각해보면 가족들의 인내심이 놀랍죠. 하지만 제가 원하는 일에는 고집이 엄청났어요. 일이 안 되면 포기하면 되는데 옵션 중 에 포기가 없어요. 늘 원하는 일이 될 때까지 계속 손을 놓지 못하고 반복해서 기어이 하 고 말았죠. 그게 제가 세상에서 도태되지 않고 살아남게 해준 강력한 무기예요.

학창 시절 진로에 영향을 미친 환경은 무엇이었나요?

가족들의 영향이 크다고 생각해요. 특히 언니가 의대에 가면서 오빠도 뒤따라 의대에 진학했고, 저도 무의식적으로 수의대에 갔다는 생각이 드네요. 언니 오빠를 보면서 저 힘든 의료계에는 절대 발을 들이지 않겠다고 다짐했지만, 어느새 수의사의 길을 걷고 있 더라고요. 가족들은 제가 해보겠다고 하면 어떤 일이라도 저를 막지 않았고, 그것이 제 삶에 큰 도움이 되었어요. 어린 시절부터 가족들이 저에게 많은 것을 허용해 줬기에 다 양한 것을 접해보고, 또 쉽게 그만두기도 했어요. 운동, 미술, 언어, 음악 등 제가 해보고 싶다고 하면 모두 허용해 줬고 그중에 제가 제일 좋아하는 일은 동물을 돌보는 일이 라는 것을 알았어요. 수의대에 진학해도 그만두는 사람들이 있어요. 아마 제가 하려는 것을 가족들이 막았다면, 저도 한 번쯤은 이 길은 내 길이 아니라며 그만둔다고 소란을 일으켰을 것 같아요. 철없던 망아지를 다 클 때까지 묵묵히 지켜봐 준 가족들에게 감사 합니다.

진로를 결정할 때 도움을 준 사람이 있었나요?

제 언니예요. 언니와 17살 차이예요. 언니가 저를 다 키웠고, 언니가 의사인 것이 오빠와 저의 진로까지 영향을 미쳤죠. 수의대는 제 성적에 생각도 못 했는데, 언니가 수의대를 제 안했고 저는 고양이들과 같이 있을 수 있다는 생각에 미친 듯이 공부했어요.

미대 진학을 준비하다가 수의학과로 바꾼 이유가 무엇인가요?

사실 어린 시절 꿈은 스타일리스트였어요. 아름다운 것, 또 꾸미는 것을 정말 좋아했거든요. 그래서 미대 진학을 준비하고 있었는데, 어느 날 집에 고양이 두 마리가 오고부터 꿈이 완전히 바뀌었어요. 암수 한 쌍이라 새끼들을 낳았는데, 엄마 고양이가 전혀 돌보지 않아서 2시간마다 분유 먹이고 날 새면서 키웠는데도 예뻐서 어쩔 줄 몰랐어요. 분유를 받아먹어 주기만 해도 고마워서 울었을 정도였으니까요. 제가 단순한 면이 있어서 그저 고양이 옆에 있는 일을 하고 싶다는 생각에 바로 미술을 그만두고 갑자기 공부를 시작했어요. 갑작스럽게 공부할 과목이 늘어버렸고 재수 당시에 갑자기 진로를 변경하다 보니 4수를 하게 되었답니다.

약사의 진로도 나쁘지 않았을 텐데요?

부모님은 언니 오빠가 의사이니, 제가 약사가 되기를 바라셨어요. 언니 오빠 병원 밑에 약국을 열어 제가 편히 사는 '낙수효과'를 바라셨죠. 그러다가 나중에는 약사는 깔끔히 포기하시고, 제가 대학만이라도 가기를 바라셨어요. 그만큼 제가 공부하기 싫어했고, 죽어도 공부 안 하겠다고 버텼거든요.

Question 대학 생활은 어떠셨나요?

사실 별 기억이 없어요. 처음 떠오르는 이미지는 독서실에서 공부하는 거예요. 대학 재학 중에 정말 저 자신을 갈아 넣으면서 공부했어요. 그 시절을 그렇게 보낸 것이 약간은 허탈하기도 하지만, 일하면서 툭툭 튀어나오는 저의 지식에 감사하기도 해요. 대학 시절 저는 성적이 잘살고 있다는 지표라고 믿었고, 그렇게 최선을 다해서 얻은 수의대 수석 졸업은 이후에도 큰 자신감의 근간으로 작용했어요.

Question 학창 시절의 활동이 긍정적인 영향을 준 사례가 있나요?

미술을 하다가 그만둔 일이 저에게는 영향이 컸어요. 많은 사람이 직업을 바꾸면 삶이 달라질 거로 생각하는 것 같아요. 저는 열정을 쏟았던 미술을 한순간에 접으면서 수의학으로 전향해봤어요. 그 결과 나의 삶은 별반 달라지지 않는다는 걸 깨달았죠. 어떤 직업이건 수도하는 마음으로 노력하며 지내는 기간이 필요한 법인데, 직업을 바꾼다고 힘든 것이 해소되지는 않으니까요. 그렇기에 저는 어떤 직업이건 반드시 오랫동안 그 분야에 종사해서 전문가가 되기를 추천합니다.

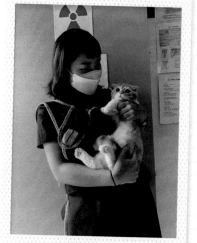

▶ 엑스레이 촬영을 위해 대기 중

뒤늦게 찾아온
방황 시절

▶ 슬개골 탈구 여부 확인 중

▶ 안과검사 중

Question 직장생활 중 특별히 기억에 남는 에피소드가 있으신지요?

수의사 사회는 위계질서가 아주 강력하게 작동하는 곳이라서 선배의 말은 반드시 따라야 한다는 분위기가 강해요. 특히 대학이나 대학원이 그렇죠. 대학원 재학 중에 저를 아주 심하게 학대하는 선배가 있었어요. 제가 늘 조용히 참으니 그 정도가 날로 심해졌죠. 그래서 어느 날 그 선배가 또 저에게 윽박지르는 순간, 왜 그러는지 반문했죠. 언어폭력을 삼가 달라고 말했습니다. 물론 그 대가는 참혹했죠. 제가 진료를 즐기는 것을 알고 있는 선배는, 제가 이미 맡아서 진료하던 환자도 손을 떼라고 하더군요. 대학원 동물병원에 이의를 제기하고서야 이 일은 일단락되었습니다. 저에게 이 경험은 오래도록 가슴에 남는 일입니다. 슬픈 기억이라기보다는 정말 잘해 낸 기억으로요. 나는 나를 학대받도록 방치했었으나, 결국 나를 지키는 건 나 자신이라는 교훈을 얻었죠.

Question 방황의 시기가 있었다고 하는데 어떻게 극복하셨나요?

수의대를 졸업하고 저는 꿈도 방향도 완전히 상실해버리고, 집 밖에도 잘 나가지도 않았답니다. 수의대 수석 졸업까지 하고는 집안으로 숨어버렸죠. 안락한 집을 벗어나 일터에 던져지는 것이 두려웠고, 죽기보다 싫었어요. 그런 상태로 6개월 동안 지내고 나니 심신이 아주 고통스러웠죠. 그때 황상민 박사님께 상담받게 됐어요. 박사님은 너무나 타당한 이유를 들어 저에게 분명한 목표를 주셨어요. 도저히 그 방향을 거부할 수가 없었죠. 세상을 두려워하며 숨어버린 저를 단번에 도약하게 했습니다. 그러면서 아팠던 몸도 마음도 자연히 나았죠. 지금도 박사님께 꾸준히 상담받으며 지내고 있답니다. 박사님은 늘 저에게 다시 나아갈 방향을 주시고, 저는 그 방향을 통해 삶을 살아갈 힘을 얻어요.

수의사가 되기 위해 어떤 준비를 해야 할까요?

반드시 동물을 키워봐야 해요. 동물병원에 와서 질병만을 상담하는 것이 아니니까요. 저와 같은 임상수의사를 생각하신다면 강아지도 고양이도 꼭 노령의 나이까지 키워 봐야지만 순탄한 상담이 가능합니다. 또 꾸준히 공부하는 것도 중요해요. 요즘에는 많은 수의사가 대학원 과정까지도 지원하기 때문에 학생 신분으로 오래 지내야 합니다. 공부를 피할 수는 없어요. 수의대 대학원을 생각한다면 대학 성적관리도 당연히 중요하고요. 또 치료를 위해서는 꾸준히 지식을 업데이트해야 해서, 수의사 일을 그만둘 때까지 공부가 필요합니다. 공부하는 습관을 들이지 않으면 손쉽게 도태되는 직업이라고 생각해요.

Question 직업으로 수의사를 선택하시는 과정이 수월하셨나요?

저는 대학을 졸업하고 수의사로 일을 시작하는 것이 두려워서 6개월간 직장을 구하지 않았어요. 이 일의 중압감이나 체력적인 어려움을 실습하면서 알았기 때문이죠. 그렇지만 수의사 말고는, 끝까지 매달려 보고 싶은 일도 없었어요. 그리고 또 제가 제일 잘할 수 있는 일이었고요. 저는 사랑하는 대상을 돌보는 데 무한한 힘을 쏟는 성향이에요. 수의대를 졸업하고 의대에 진학하는 사람들도 있고, 전혀 관련 없는 분야로 가는 사람들도 있어요. 다른 직업을 가지고 사는 생활을 생각해 본 적도 있지만, 제가 붕 떠서 영혼 없이 살 것 같아요. 임상수의사는 항상 마음의 짐이 크지만, 그만큼 뿌듯함도 크기에 이 일을 놓을 수 없어요. 이 격한 감정의 소용돌이에 중독되는 것 같다는 생각이 들 때도 있죠.

Question

진료할 때 가장 중요하게 생각해야 할 부분은 무엇인가요?

보호자의 마음이에요. 아무리 수의학적으로 진료를 잘했어도 보호자가 원하는 방향이 아니었다면 좋은 결론을 맺기 어려워요. 제가 보호자의 마음을 파악하지 못하고 저만의 세상에 빠져 진료를 하면, 보호자는 저를 더는 찾아오지 않게 될 겁니다. 처음 보는 보호자가 다짜고짜 안락사를 원하기도 하고, 그런 보호자를 설득해서 치료받게 한 적도 있었죠. 하지만 치료는 보호자가 원하는 방향이 아니었기에, 얼마 못 가서 치료는 종료되고 말았죠. 결과적으로 의미 없는 저의 오지랖이 되고 마는 것이죠. 이 사실을 받아들이기까지 오래 걸렸어요. 지금은 보호자의 마음이 어디에 있는지 확인하고, 동물들의 상황에 맞게 최선의 방법을 찾으려고 합니다. 저는 늘 동물들이 마지막 숨이 끊어지는 순간까지 편안하게, 존엄하게 지내기를 바라니까요.

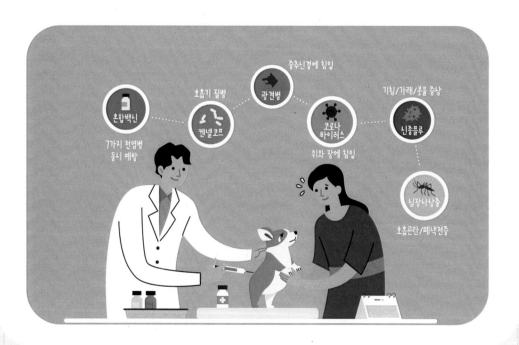

현재 하시는 일에 대한 설명을 부탁드립니다.

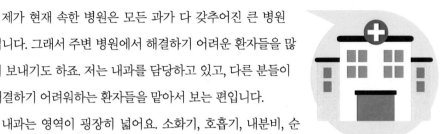

제가 현재 속한 병원은 모든 과가 다 갖추어진 큰 병원입니다. 그래서 주변 병원에서 해결하기 어려운 환자들을 많이 보내기도 하죠. 저는 내과를 담당하고 있고, 다른 분들이 해결하기 어려워하는 환자들을 맡아서 보는 편입니다.

내과는 영역이 굉장히 넓어요. 소화기, 호흡기, 내분비, 순환기, 비뇨기, 종양, 면역 등 아주 다양한 환자들이 옵니다. 저는 큰 병원에서 주로 일했기에 다른 과와 협진이 많습니다. 협진하면서 모르는 부분들에 대해 질문을 많이 하게 됩니다. 수의사들은 자신이 아는 분야에 대해 질문을 받으면 정성을 다해 대답해 주는 사람들이 많습니다. 이 직업의 매력 중 하나죠. 그래서 제가 전공하지 않은 외과, 안과, 치과에 대한 지식도 자연스럽게 쌓을 수 있답니다.

수의사 업무를 상상하면 주로 치료를 떠올리겠지만 현실은 다릅니다. 주 업무는 보호자와의 상담이 70%라고 봐도 무방할 거예요. 진단은 사실 순식간에 기계적으로 이루어지지만, 이 질병에 대한 기초지식부터 병의 관리까지 모두 상담하는 시간이 가장 깁니다. 병이 깊어 호스피스로 전환해야만 할 때는, 보호자의 감정적인 어려움까지도 상담하는 것이 주 업무입니다.

Question 수의사가 된 후 첫 업무는 어떠셨나요?

사소한 실수가 의료 사고로 이어질 수 있기 때문에, 처음에는 주로 지켜보기만 했어요. 아주 간단한 힘쓰는 일이나 단순노동을 주로 하고요. 1~2주 정도 지켜보면서 업무 파악을 하면 그때부터 서서히 실전에 투입됩니다. 다만 사고 칠 일이 넘치기 때문에 초반에는 늘 선배의 도움(= 감시)이 필요합니다. 다양한 사고를 치면서 또 그 사고를 수습하는 방법을 배우고, 탄탄한 실력을 지닌 수의사로 거듭나게 되죠.

Question 수의사가 되고 나서 새롭게 알게 된 점은 무엇인가요?

돈이 없어 치료를 포기하는 분들도 많다는 것을 알았습니다. 처음에는 정말 너무 놀랐었고 이 상황이 현실이라는 것이 믿기지 않을 정도로 당황했어요. 하지만 보호자의 경제적 여건을 넘어서는 치료를 강요할 수도 없고 그 상황에서라도 동물들에게 최선을 찾아주는 것이 저의 역할이라는 것을 알게 되었어요. 그런 환자들은 오래도록 마음에 남아 문득문득 떠오릅니다.

▶ 고집쟁이 환자 달래면서 주사 중

▶ 슬개골 탈구 수술 후 수중재활치료

▶ 디스크로 인한 통증재활치료

직업보다
자기를 찾는
것이 중요

수의사에 대한 오해와 진실이 있다면 무엇인가요?

수의사는 동물병원에서 주로 근무한다고 알고 있는 분들이 많지만, 엄청나게 다양한 분야에서 근무합니다. 약품 회사, 다양한 실험실들, 낙농업계, 수산업계, 도축장, 검역원, 사료 회사 등 너무나 그 분야가 많아서 진로를 정하기 힘들 정도였으니까요. 여러분의 근처에 한두 다리만 건너면 늘 수의사가 있답니다.

Question **본인만의 진료 철학이 있으신가요?**

저는 동물들이 이 세상에서 남은 시간이 단 몇 시간, 몇 분 일지라도, 그 시간을 끝까지 즐겁게 지내다가 가길 희망해요. 환자들의 삶의 질이 유지되도록 최선을 다하는 것이 중요하다고 생각하죠. 환자의 삶의 질이 다 무너진 상황에서 보호자님이 환자를 보내주지 못하는 경우엔 환자의 고통에 관해 설명해주고, 적극적인 통증 처치라도 받을 수 있도록 노력합니다. 고통만 남은 환자의 눈빛은 절망에 차 있거든요. 동물들이 맑고 순수한 영혼들인 만큼, 즐겁게 이 세상에서 살다가 편안히 잠들기를 바라죠.

그래서 의료상의 관점에서의 최선이 환자의 삶에서도 과연 최선인가 하는 의문을 늘 던지며 진료합니다. 질병과 잘 싸우기 위해 엄격한 식단관리를 하고, 정시에 투약을 하고, 수많은 보조제를 먹는 것이 과연 환자가 원하는 삶인가 하는 의문이죠. 저는 질병을 악화시키지 않는 선에서 동물들이 즐거움을 느낄 부분을 찾아주려고 적극적으로 노력합니다. 약을 먹기 어려워하는 환자라면 약의 효과를 대체할 방법을 찾아주고, 간식을 허용할 수 없는 질병이라면 건강한 대체재를 찾아줍니다. 엄격한 치료를 강조하지 않아요. 저는 동물들이 본성에 맞게 살다가 가기를 희망합니다. 어린아이 같은 동물들이 이해할 수 없는 치료만을 강요하는 것보다 그 천진난만함을 죽을 때까지 펼치다가 가도록 지켜내는 것이 저의 사명입니다.

일하면서 가장 보람을 느낄 때는 언제인가요?

환자가 병에서 나았을 때 가장 좋죠. 누가 알아주지 않더라도 저는 늘 환자들이 나아지길 바라기 때문에 이 일을 하는 것이니까요. 확진이 어려운 경우에는 치료를 시도하고 반응이 있을 때까지 기다려야 합니다. 그런데 얼마간의 시간이 지나고 환자가 좋아졌다는 말을 들으면 그땐 소름이 끼칠 정도로 기뻐요.

Question **일하시면서 힘들었을 때는 언제인가요?**

환자의 치료에 정말 큰 노력을 쏟았더라도, 환자 상태가 악화하면 보호자와의 신뢰가 흔들릴 때가 있어요. 때로는 저의 모든 노력이 부정당하기도 하고요. 그럴 때가 가장 힘들죠. 어떤 수의사도 환자가 악화하기를 바라지는 않아요. 하지만 늘 결과가 좋은 방향으로만 따라주지는 않습니다. 이런 답답함을 해소할 방법은 공부이고, 다음번엔 더 나은 치료를 하기 위해 노력하면서 새롭게 마음을 다지죠.

Question 치료하던 동물이 안타까운 결말로 이어질 때도 있을 텐데요?

사실 환자들이 사망하는 당시에는 추스를 시간도 없이 다음 진료가 밀려드는 것이 현실이에요. 울다가 돌아서면 당장 닥친 일 때문에, 바로 눈물을 그치고 일에 빠져들어야 하니까요. 그런 시간이 지나고 퇴근을 하고 나면, 다시 안타깝게 보낸 환자들이 떠오르죠. 오랜 시간 같이 노력했던 보호자도 떠올라 정신이 멍해지곤 합니다. 누가 뭐라고 하지 않지만, 제가 했던 치료를 모두 곱씹어 보게 되죠. 그리고 저 같은 경우는 그런 시간이 적어도 몇 달은 지속되는 편이에요. '새벽에 잠 못 이루는 수의사가 과연 나 하나뿐일까?' 하는 의문도 들고요. 많은 수의사가 아마 환자로 인해 수많은 날 잠들지 못하기도 할 거예요.

Question 환자를 떠나보내면 어떻게 마음을 추스르나요?

제가 술을 정말 못 마시는데, 그런 날은 술의 힘을 빌려 기절해서 잠자리에 들기도 합니다. 저는 사망한 환자들을 마음에서 놓지 못해요. 그래서 마저 자료를 뒤져보며 자료 정리도 해놓고, 저보다 더 깊은 지식을 가지고 있는 수의사를 만나면 꼭 질문합니다. 그런 과정을 통해서 더 나은 답을 찾으면 그제야 마음이 조금 편해져요. 또 환자가 사망하고 시간이 좀 지나면 보호자에게 전화해보기도 해요. 화장은 잘했는지 물어보고, 환자가 무지개다리를 건넌 후의 보호자의 삶도 물어보고요. 그동안 참 고생 많이 하셨다고 보호자에게 말을 건네면, 그제야 비로소 최선을 다해 환자를 보낸 느낌이 듭니다. 이 긴 과정을 거치고 나야 제 마음이 조금은 편해집니다. 죽음의 무게는 정말 무거워요.

수의사로서 비전을 듣고 싶습니다.

수의사로서의 비전은 저를 통해 많은 동물이 치료받을 수 있도록 하는 거예요. 동물병원에 왔다고 해서 모두 치료를 받고 가는 것은 아니거든요. 저는 동물들이 아프지 않기를 바라면서 많은 것을 포기하고 저의 20대를 다 쏟아부었어요. 단순히 수의학 지식이 해박하다고 해서, 환자가 치료받게 할 수 있는 것은 아니에요. 보호자를 설득하고 이해시키는 과정도 정말 중요하죠. 그래서 동물들이 적절한 치료를 받을 수 있도록 노력하는 게 중요하다고 생각해요. 매번 진료를 볼 때마다 보호자의 마음을 이해하려고 노력하고, 심리학도 공부하고 있답니다. 체력관리를 위해서 꾸준히 운동도 하고 있고요. 저는 수의학 중에서도 내과를 전공했어요. 내과를 더 깊게 공부해서 내과 진료의 달인이 되는 것도 좋겠지만, 다양한 과를 섭렵하고 싶은 마음이 더 크답니다. 특히 외과는 너무 매력적이에요. 제가 미술을 전공하고자 했던 만큼 손으로 뭔가를 하는 게 자신 있고 즐겁거든요. 빠르고 꼼꼼하게 수술할 수 있을 거라는 상상에 빠지기도 합니다. 이 일을 그만두는 그 순간까지 늘 업그레이드하는 게 저의 목표예요. 최선이 아닌 것 같다는 생각이 들면 일하면서 굉장히 불안하고 걱정되거든요. 수의학은 지식의 깊이가 끝이 없어요. 하나를 배우고 나면 그다음 배울 것들이 넘쳐나서 지루할 틈조차 없는 학문이죠. 치매는 절대 안 걸릴 것 같다는 생각도 든답니다.

자기 자신을 혐오한 적도 있었다고요?

저는 아주 오랜 시간 저 자신을 부정하며 살았어요. 저의 성공에 대한 욕망도, 나의 조용하고 차분한 성향도 다 부정했던 적이 있었죠. 그래서 긴 시간을 돌아서야 저 자신을 받아들이기 시작했었죠. 저는 20대가 거의 다 끝날 무렵에야 나의 성향을 조금씩 인정하고 나의 장점이 무엇인지, 나의 직업과 나의 장점을 어떻게 엮을지 처음으로 고민했어요.
그동안 나의 성격을 스스로 답답해하고, 가학적으로 저를 몰아붙였죠.
부디 여러분들이 저처럼 오랜 시간 자신과 의미 없는 싸움을 하며 시간을 낭비하지 않길 바랍니다. 나의 성향을 인정하고 나의 장점을 더 계발하는 것만으로도 충분하니까요.
개인적으로 저의 성향을 인정하고 장점을 계발하는 게 너무 어렵기도 했어요. 그래서 심리학을 더 공부하고 상담도 자주 받았어요. 자신을 알기 위한 노력은 아마 제가 죽을 때까지 계속되리라고 생각해요. 그러니 꿈이 없다고 답답해하기보다는 자신에 대해 알기 위해 노력하고, 어렵다면 도움도 받길 추천합니다. 또 자신이 잘하는 일, 그 무엇이라도 붙잡고 오랫동안 한 분야에 종사해서 반드시 그 분야의 전문가가 되시기를 빌어봅니다.

진로에 대해 고민하는 학생들을 위한 조언이 있을까요?

저는 운 좋게 좋아하는 일을 찾아 오늘까지 잘 지내왔어요. 아마 이 책을 읽는 많은 분이 어떤 것이 나의 꿈일까? 고민 중일 수 있다는 생각이 들어요. 사실 저는 꿈 자체는 중요하지 않다는 생각도 해요. 저는 수의사가 되면 너무나 기쁘고 행복할 거라는 막연한 환상이 있었죠. 하지만 막상 수의사가 되고 보니 '나는 어떤 사람인가?'에 대해 질문하게 되더군요. 그리고 이건 내가 어떤 직업을 가져도, 직업을 통해 어떠한 성취를 이루어도 반드시 짚고 넘어가야 할 부분이라는 걸 알았어요. 막연히 '돈을 많이 벌면 행복할 거야. 유명해지고 성공하면 행복할 거야.'라고 믿고 싶겠지만, 막상 진지하게 상상해보면 그렇지 않다는 걸 알게 될 거예요.

나는 누구인가? 나는 왜 사는가? 나의 진짜 욕망은 무엇인가? 나는 어떻게 살기를 원하는가? 나는 어떤 것을 좋아하는가? 내가 기쁠 때는 언제인가? 라는 수많은 질문에 스스로 솔직히 대답해보는 시간이 필요해요. 그래야만 어떤 직업을 가져도 나 자신과 잘 헤쳐 나갈 수 있다고 생각합니다.

수의사에게
청소년들이 묻다

청소년들이 수의사에게
직접 물어보는 12가지 질문

토론동호회가 진로에 많은 도움이 되셨나요?

고등학교 시절 '한다발'이라는 토론동호회에서 활동을 했습니다. 대전 시내의 고등학교에서 학교마다 2명씩 선발을 했고, 토요일 오후에 함께 모여서 주제를 정해 각자의 생각을 말해보고 토론을 하는 모임이었죠. 각자의 생각을 말해보면서 생각의 폭도 넓어지고 다양한 시각에서 객관적으로 바라보는 능력도 좋아졌습니다. 내성적인 저의 성격도 이때부터 조금씩 나아지기 시작했었던 것 같아요. 수의사는 혼자 할 수 없는 직업입니다. 보호자와의 커뮤니케이션, 동료 선생님과의 커뮤니케이션 등이 필수적입니다. 그런 면에서 학창 시절의 토론동호회가 큰 힘이 되었죠.

세계자연기금(WWF)은 어떠한 단체인가요?

WWF(세계자연기금)은 1961년에 설립된 굉장히 오래된 단체예요. 전 세계 110여 개국에 있는 세계 최대 자연보전기관인데요. 한국본부가 2014년에 설립됐고요, WWF는 전 지구를 하나로 보거든요. 하지만 110여 개 국가에서 똑같은 보전 활동을 하는 게 아니고, 그 나라에 필요한 활동을 하는 거죠. 우리나라는 석탄발전이나 외국에 석탄발전 투자를 상당히 많이 하는 국가입니다. 아직 재생에너지에 어려움이 많은 나라이기 때문에 우리나라에서 제일 급한 게, 기후변화와 해양 보전이라고 판단합니다. 현재의 어업 방식이나 양식 방식이 지속가능하지 않아서, 이대로 가다가는 우리 후손은 오징어도 고등어도 못 먹을 수 있답니다. 새로운 방식으로 바다를 관리해야 한다는 게 목표입니다.

수의학과에 입학하기 위하여 도움이 될 만한
활동이 있을까요?

　실제로 중고등학교 때는 수의학과에 직접적으로 도움이 될 만한 활동을 하기는 어렵습니다. 수의학 관련 실습을 하려면 적어도 수의학과 학생 정도의 지식이 있어야 하기 때문이죠. 그래도 방학 기간에 종종 유기견 센터에서 봉사활동을 했었는데요. 제가 워낙 동물을 좋아해서 보람도 있고 즐겁게 봉사활동에 참여한 것 같아요. 수의사란 직업이 동물을 다루는 직업이다 보니 수의학과 진학을 희망하는 학생들은 동물 관련한 봉사활동을 많이 해보시면 좋을 거 같아요. '과연 내가 정말 동물을 좋아하는지', '동물을 잘 다룰 수는 있을지' 등을 미리 경험해 보면 진로 결정에 많은 도움이 될 것 같습니다.

회사를 창업할 때 불안하진 않으셨나요?

　제가 조금 쿨한 성격이라서 일단 마지노선을 정했습니다. 처음에 제가 설정한 투자금액 이상으로 금액이 많이 들어가고 가능성이 안 보인다면 1년만 해보고 과감히 접자는 생각으로 시작했죠. 지금까지 회사에서 제품 개발을 해왔고 내가 하고 싶었던 걸 담으면 고객들한테 분명히 그 니즈가 있다고 느꼈었거든요. 창업 이전엔 회사에 소속되어 제품을 개발했었지만 제 의견이 완전히 반영된다는 것도 불가능하고 그 제품은 그 회사 소유의 상품이 되잖아요. 하지만 지금은 제 회사에서 고객의 니즈(needs)에 맞추어 제가 구상한 제품을 고객과 나누고 있죠. 다행히 그게 좀 통하는 것 같아서 지금까지 해오고 있답니다.

친한 사람에게 수의사라는 직업을 추천하시나요?

저는 늘 추천해요. 수의사만한 직업도 없다고 늘 말하죠. 물론 단점도 있죠. 하지만 저는 이 일을 할 때 가장 뿌듯하고 즐겁거든요. 보호자에겐 큰 고민이었지만, 나의 지식으로 그 문제를 해결해줄 때의 쾌감은 이루 말할 수 없죠. 그리고 이 직업의 또 다른 매력은, 동물이라는 매개로 보호자와 강력한 공감대를 형성할 수 있다는 거예요. 이 순수한 영혼들 덕분에 처음 만난 보호자와도 웃으면서 많은 이야기를 나눌 때 희열이 느끼죠. 사실 저는 매우 낯을 가리는 성격이어서, 낯선 누군가와 공감대를 형성한다는 것은 어려워요. 하지만 이 일을 통해 그런 짜릿한 경험을 매일 할 수 있다는 것은 정말 큰 매력이에요. 또 수의사라는 직업은 늘 수요가 있는 편이라서 업무의 공백이 있었더라도 복귀하는 데 어려움이 별로 없지요. 여성 수의사들의 경우엔 출산을 위해 쉬다가 육아 후 복귀하는 분들도 많이 봤거든요.

한국마사회 소속 수의사가 되려면 어떻게 해야 하나요?

한국마사회 소속 수의사가 되기 위해서는 공개채용 시험에 합격해야 합니다. 공개채용 시험은 필기(NCS) 시험 통과 후, 3차례에 걸친 면접으로 이루어집니다. 다른 직렬(職列)과 다르게 수의사는 수의사 면허가 있어야지만 지원할 수 있습니다.

수의사가 되기 위해 어떠한 준비가 필요할까요?

반려동물 인구가 늘어나면서 수의사도 인기가 많이 높아졌습니다. 전문직으로 상위권에 위치하기 때문에 입시 준비를 열심히 해야 합니다. 수의사는 다른 직업과 달리 수의사 내부에서도 여러 직군이 존재합니다. 대동물 수의사, 소동물 수의사, 특수동물 수의사, 공무원 수의사, 대기업 수의사 등으로 크게 나누어지죠. 졸업 후 자신이 어떤 분야를 선택할지 결정해야 합니다. 저의 경우는 수의사면허 취득 이후에도 고민이 많았기에 모든 분야를 직접 일하면서 경험했었죠. 최종적으로 소동물/특수동물 수의사로 정착하게 되었습니다. 수의사는 동물을 위해서 일하는 직업이므로 동물에 대한 애정이 기본적으로 있어야 실망하지 않고 일할 수 있습니다.

해양생물 전문수의사는 어떤 일을 하는 직업인가요?

일반적으로 수의사라고 하면 보통 고양이, 강아지를 보살피는 소동물 수의사나 소나 돼지를 보는 대동물 수의사를 떠올리기 쉬운데요. 저처럼 물범이나 돌고래 같은 해양포유류나 상어와 펭귄과 같은 해양생물을 보살피는 사람도 있어요. 공식적인 단어는 아니지만, 해양생물 전문수의사라고 불립니다. 주로 해양 생물들이 아플 때 진료와 치료를 하기도 하고요. 질병에 걸린 경우는 이게 어떤 병이고 주변 환경과 어떤 관계가 있는지에 관한 연구를 하기도 합니다.

직업으로서 수의사의 매력은 무엇인가요?

보통 사람들은 수의사라고 말하면 동물을 치료하는 사람이라고만 생각하지만, 수의사는 생각보다 다양한 진로가 있습니다. 동물을 치료하는 임상 분야는 개나 고양이를 치료하는 반려동물 임상, 소나 돼지 같은 농장 동물을 치료하는 대동물 임상, 그리고 야생동물 임상으로 분류가 됩니다. 또한, 동물을 치료하지 않는 비임상 분야로는 구청 등에서 동물보호 등의 업무를 하는 공무원, 사료 회사 등의 회사원, 각종 연구원 등 다양한 분야로 진출할 수 있고 취업률도 높은 편입니다. 따라서 본인 성향에 따라 자기에게 맞는 분야를 선택해서 갈 수 있다는 점이 수의사의 매력 중 하나입니다. 그리고 진료 분야에서는 역시 귀여운 동물들을 진료할 수 있고 동물들이 건강을 되찾는 것을 보며 보람을 느낄 수 있다는 점이 수의사의 매력이라고 생각합니다.

사업가로 전향하면서 힘든 점은 무엇인가요?

사업이라는 건 사업의 시작부터 끝까지 다 관리를 해야 합니다. 챙겨야 할 일들이 상당히 많아서 그런 걸 하나도 안 놓치고 하려면 생각도 많아지는 어려움은 있죠. 사실 어려움은 동물병원에서도 마찬가지라고 봐요. 생명을 다루는 거고 치료가 잘 돼서 좋았던 동물이 갑자기 상태가 나빠지기도 하거든요. 생명이라는 게, 기계 고치는 것처럼 프로토콜(protocol)대로 한다고 해서 결과가 똑같이 나오는 게 아니어서 그런 긴장감도 분명히 또 있거든요. 그런 측면에서는 오히려 사업하는 게 어떤 면에서는 마음이 편하기도 합니다.

미국 대학을 졸업한 후에 한국의 수의학과에
다시 진학하게 된 과정이 궁금합니다.

수의사가 되기 위해서는 수능점수를 잘 받아야 하는데, 저는 학사 편입으로 입학했기 때문에 한국 입시에 대해서는 잘 알지 못합니다. 편입의 경우에는, 다른 대학교 진학 후 2학년을 마친 후에는 일반편입, 졸업 후에는 학사 편입 등 다양한 편입 모집 요강이 있으니 잘 확인해보시면 좋을 것 같습니다.

수의사의 처우는 어느 정도인가요?

근무환경은 병원마다 약간씩 다르겠지만 저를 기준으로 말씀드리죠. 인턴은 주로 잡무를 많이 하는데 간호사 업무와 수의사 업무가 섞여 있습니다. 인턴 때는 힘쓰는 일, 단순노동을 주로 하게 되고 1년은 이런 시기를 참아 내야지만 진료수의사 타이틀을 받게 되죠. 로컬동물병원 인턴의 연봉은 약 3,000~4,200만 원 정도입니다. 만약 대학원에 진학한다면 연봉은 최저임금 기준으로 받을 수도 있습니다. 저의 경우 대학원 재학 중에는 최저임금 기준으로 연봉을 받았어요. 새벽에도 자주 일했지만, 아침 9시부터 저녁 6시까지만 산정된 급여를 받았습니다. 이런 시간을 참아 내고 진료수의사가 되면 훨씬 생활이 나아집니다. 잡무는 확 줄어들고 진료에 더 많은 시간을 보내게 되죠. 도제식으로 일을 배우기 때문에, 이때 선배의 역할이 매우 큽니다. 대학원 졸업 후 동물병원에서 첫해에는 낮은 봉급으로 시작했습니다. 연봉이 4,800만 원이었어요. 저는 대학원을 졸업하고 외부의 동물병원에 취업했기 때문에 대학원을 졸업하지 않은 다른 수의사들과 달리 과장직급으로 바로 일을 시작했습니다. 1년 후 연봉은 6,500만 원으로 올랐고, 일은 더 늘었지만 제 역할을 해내기 위해서 고군분투 중입니다. 일하는 동안 앉아있는 시간은 적은 편입니다. 주로 서서 계속 업무를 해야 하고, 많은 집중력을 요구하기에 일이 끝나면 많이 지치는 편이죠. 하지만 이렇게 아무 생각할 수 없도록 나를 빨아들이는 일이기에 중독성도 크답니다.

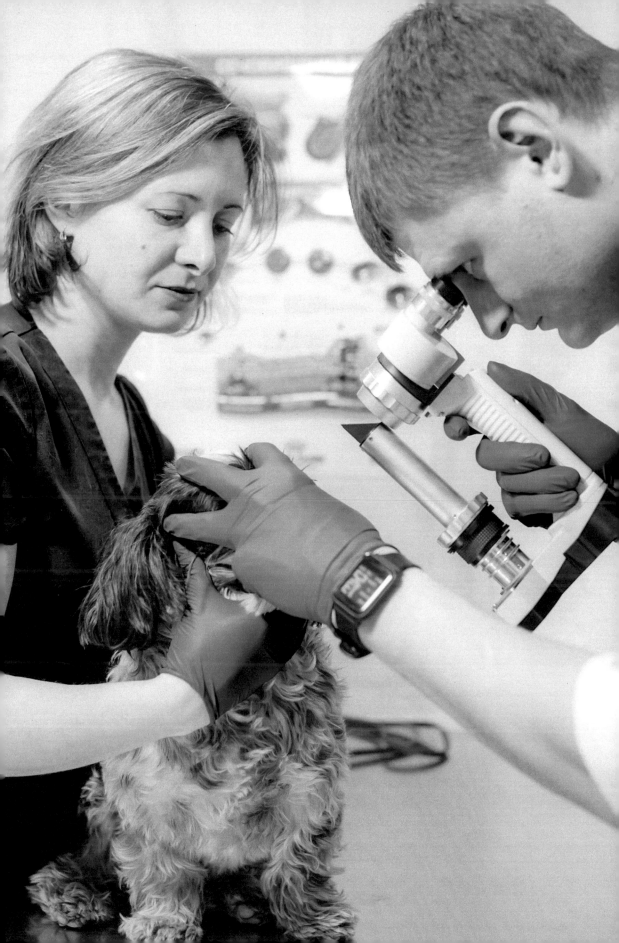

CHAPTER

| 3 |

예비
수의사
아카데미

수의사 관련 대학 및 학과

수의학과

학과개요

수의학과는 가축, 반려동물, 야생동물뿐 아니라 수생동물까지 모든 동물의 질병 예방과 치료에 대하여 배우는 곳입니다. 수의학과는 동물의 질병 예방과 치료를 담당하는 동물 의사를 기르지만, 궁극적으로는 인류와 동물의 건강과 복지를 위한 전문 수의사를 기르는 곳입니다.

학과특성

최근 새로운 동물 유래 질병이 나타나고, 동물을 활용하여 인간에게 유익한 의약품 개발이나 첨단생명공학 연구 등이 이루어지고 있습니다. 따라서 수의학과의 위상과 역할도 확대되고 있으며, 단순한 동물 질병 치료가 아니라 각종 생명공학 연구로 그 범위가 확대되고 있습니다.

개설대학

지역	대학명	학과명
서울특별시	건국대학교(서울캠퍼스)	수의학과
	건국대학교(서울캠퍼스)	수의예과
	서울대학교	수의학과
	서울대학교	수의예과
대전광역시	충남대학교	수의학과
	충남대학교	수의예과
대구광역시	경북대학교	수의학과
	경북대학교	수의예과
광주광역시	전남대학교(광주캠퍼스)	수의예과
	전남대학교(광주캠퍼스)	수의학과
강원도	강원대학교	수의학과
	강원대학교	수의예과
충청북도	충북대학교	수의예과
	충북대학교	수의학과
전라북도	전북대학교	수의학과
	전북대학교	수의예과
경상남도	경상국립대학교	수의학과
	경상국립대학교	수의예과
제주특별자치도	제주대학교	수의예과
	제주대학교	수의학과

동물보건, 건강관리 및 자원학과

학과개요

과학 분야가 눈부시게 발달함에 따라 사람들이 이용할 수 있는 자원의 종류가 다양해지고 있습니다. 동물자원학과에서는 동물자원의 가공, 생산에서 이용에 이르기까지의 모든 과정에 대해서 배웁니다. 동물자원학과는 이론과 실험을 바탕으로 이용할 수 있는 자원의 종류를 확대할 수 있는 동물자원 전문가를 양성합니다.

학과특성

동물자원학과는 동물학, 화학, 경제학뿐만 아니라 동물생명공학, 동물환경공학, 동물사료공학, 생리활성 및 기능성 물질의 이용에 관한 지식을 배워 활용하기 때문에 다양한 분야에 응용되어 적용할 수 있습니다.

개설대학

지역	대학명	학과명
서울특별시	건국대학교(서울캠퍼스)	동물생산 · 환경학전공
	건국대학교(서울캠퍼스)	사료영양학과
	건국대학교(서울캠퍼스)	동물자원과학과
	고려대학교	응용동물과학과
	삼육대학교	동물생명자원학과
	삼육대학교	동물자원학전공
	서울문화예술대학교	반려동물학과
부산광역시	부산대학교	동물생명자원과학과
대전광역시	충남대학교	동물자원과학부
	충남대학교	동물바이오시스템과학과
	충남대학교	동물자원생명과학과
광주광역시	전남대학교(광주캠퍼스)	동물자원학부
경기도	한경대학교	동물생명융합학부
	한경대학교	동물자원과학전공
강원도	강원대학교	동물자원과학부 (사료생산과학전공)
	강원대학교	반추동물과학전공
	강원대학교	동물산업융합학과
	강원대학교	동물자원과학과
	강원대학교	동물응용과학과
	강원대학교	동물영양자원공학 · 축산가공학 · 농업자원경제학과군
	강원대학교	동물자원과학부 사료생산과학전공
	강원대학교	동물자원과학전공
	강원대학교	동물생명자원학부

지역	대학명	학과명
강원도	강원대학교	동물자원과학부
	강원대학교	동물생명과학대학 사료생산공학과
	강원대학교	동물자원학부
	강원대학교	동물응용과학부
	강원대학교	동물영양자원공학과
	상지대학교	동물생명자원학부
	상지대학교	동물자원학과
	상지대학교	생명공학부 동물생명공학전공
	상지대학교	동물생명자원학부 동물자원학전공
충청남도	공주대학교	특수동물학과
	공주대학교	동물자원학과
	단국대학교(천안캠퍼스)	동물자원학과
	단국대학교(천안캠퍼스)	생명자원학부 동물자원학전공
	중부대학교	애완동물자원학과
	중부대학교	애완동물자원학전공
	호서대학교	동물보건복지학과
전라북도	우석대학교	동물자원식품학과
	원광대학교	반려동물산업학과
	원광대학교	애완동식물학과
	전북대학교	동물자원과학부
	전북대학교	동물자원과학과
	전북대학교	동물소재공학과
	전북대학교	동물자원과학부(동물소재공학전공)
전라남도	순천대학교	산업동물학과
	순천대학교	동물자원과학과
경상북도	경주대학교	동물·자연보호학과
	경주대학교	애완동식물보호학과
	대구대학교(경산캠퍼스)	동물자원학과
경상남도	경남과학기술대학교	동물소재공학과
제주특별자치도	제주국제대학교	애완동물학과
	제주대학교	동물자원과학전공
	제주대학교	동물자원과학과

생물학과

학과개요

유전자 분자 구조가 밝혀진 이래 현대 생물학은 눈부신 발전을 하였습니다. 생물학과는 세포학, 분류학, 발생학, 생리학 등을 기반으로 생명 현상을 탐구하며 그 원리에 대해서 자세히 공부합니다. 생물학과는 생물에 대한 기초 지식과 이론을 체계적으로 이해하고 자연 생태계와 생명 현상을 탐구하는 전문 인력을 기르는 곳입니다.

학과특성

최근 생물학과는 첨단 과학의 접근 방법을 사용하여 생명 현상의 본질을 탐구합니다. 기본 생물학 교과 외에도 분자생물학, 유전공학, 면역학 등 생명과학을 공부합니다. 특히, 최근 DNA 마이크로칩, 생명정보과학, 조직재생공학과 같은 의생명과학 분야나 생태환경과학 분야도 특성화되고 있습니다.

개설대학

지역	대학명	학과명
서울특별시	건국대학교(서울캠퍼스)	줄기세포재생생물학과
	건국대학교(서울캠퍼스)	화학 · 생물공학부
	건국대학교(서울캠퍼스)	응용생물과학과
	건국대학교(서울캠퍼스)	응용생물과학전공
	건국대학교(서울캠퍼스)	응용생물화학전공
	건국대학교(서울캠퍼스)	생물공학과
	경희대학교(본교-서울캠퍼스)	생물학과
	고려대학교	농생물학과
	동국대학교(서울캠퍼스)	생물학전공
	동국대학교(서울캠퍼스)	생물학과
	서울대학교	응용생물학전공
	서울대학교	응용생물화학부
	서울대학교	화학생물공학부
	성신여자대학교	생물학과
	세종대학교	분자생물학전공
	세종대학교	분자생물학부
	세종대학교	분자생물학과
	연세대학교(신촌캠퍼스)	시스템생물학과
부산광역시	경성대학교	생물학과
	동아대학교(승학캠퍼스)	응용생물공학전공
	동아대학교(승학캠퍼스)	응용생물공학과

지역	대학명	학과명
부산광역시	동의대학교	분자생물학과
	부경대학교	자원생물학과
	부경대학교	생물공학과
	부산대학교	분자생물학과
	신라대학교	바이오산업학부
	신라대학교	생물과학과
인천광역시	인천대학교	생물학과
대전광역시	배재대학교	생물의약학과
	배재대학교	분자과학부
	충남대학교	농생물학과
	충남대학교	응용생물학과
	충남대학교	생물과학과
	충남대학교	응용생물화학식품학부
	충남대학교	응용생물학전공
대구광역시	경북대학교	응용생물화학부
	경북대학교	생태자원응용학부(생물응용전공, 환경원예전공)
	경북대학교	생물학과
	경북대학교	응용생명과학부 응용생물학전공
	경북대학교	생명과학부 생물학전공
	경북대학교	생태자원응용학부 생물응용전공
	경북대학교	응용생명과학부 응용생물화학전공
	경북대학교	응용생물화학부 농생물학전공
광주광역시	전남대학교(광주캠퍼스)	생물산업공학과
	전남대학교(광주캠퍼스)	생물공학전공
	전남대학교(광주캠퍼스)	생물공학과
	전남대학교(광주캠퍼스)	생물학과
	전남대학교(광주캠퍼스)	응용생물학과
	전남대학교(광주캠퍼스)	응용생물공학부
	조선대학교	생물학과
경기도	가톨릭대학교	분자생물학전공
	단국대학교(죽전캠퍼스)	분자생물학과
	수원대학교	바이오산업학부
	한경대학교	생물산업응용전공
강원도	강릉원주대학교	생물학과
	강릉원주대학교	해양생물공학과
	강원대학교	생물산업공학전공
	강원대학교	화학생물공학부
	강원대학교	생물환경학부
	강원대학교	응용생물전공
	강원대학교	자원생물환경학과
	강원대학교	생물자원과학부(식물자원응용과학전공)
	강원대학교	생물공학과
	강원대학교	응용생물학전공
	강원대학교	농생물학과

지역	대학명	학과명
강원도	강원대학교	응용생물학과
	강원대학교	자원생물환경학부
	강원대학교	생물학과
	강원대학교	생물학전공
	강원대학교	생물자원과학부(응용생물학전공)
	강원대학교	생물공학전공
	연세대학교 미래캠퍼스(원주캠퍼스)	분자진단과학전공
충청북도	건국대학교(GLOCAL캠퍼스)	응용생화학전공
	충북대학교	생명과학부 생물학전공
	충북대학교	생명과학부 생물과학전공
	충북대학교	생물학과
충청남도	공주대학교	생물산업공학부
	단국대학교(천안캠퍼스)	분자생물학과
	선문대학교	응용생물과학부
	호서대학교	바이오산업학부
전라북도	군산대학교	생물학과
	군산대학교	해양생물공학과
	전북대학교	생물과학부(생물학전공)
	전북대학교	생물과학부(방사선생물학전공)
	전북대학교	응용생물공학부
	전북대학교	생명과학부(분자생물학전공)
	전북대학교	농생물학과
	전북대학교	생물과학부(세포및분자생물학전공)
	전북대학교	생물과학부(분자생물학전공)
	전북대학교	생물과학부
	전북대학교	분자생물학과
	전북대학교	응용생물공학부(생물환경학전공)
	전북대학교	생물자원과학부(농생물학전공)
전라남도	순천대학교	생물학과
	전남대학교(여수캠퍼스)	양식생물학과
경상북도	대구대학교(경산캠퍼스)	생명환경학부(바이오산업학전공)
	대구한의대학교(삼성캠퍼스)	생물학전공
경상남도	경상국립대학교	응용생물학과
	경상국립대학교	생물학전공
	경상국립대학교	생물학과
	창원대학교	생물학화학융합학부
	창원대학교	생물학과
제주특별자치도	제주대학교	생물학과
	제주대학교	생물산업학부
세종특별자치시	고려대학교(세종캠퍼스)	생물공학과

수의사에게 필요한 기초 학문

기초수의학(Basic Veterinary Medicine)은 수의학에서 가장 기초적이고 기본적인 지식과 내용을 다루는 분야이다. 기초수의학의 범위는 넓게는 16여 가지로, 작게는 7가지로 규정할 수 있으며, 16가지로 구분할 때 예방수의학이나 임상수의학에 속하는 내용과 겹치는 부분들이 있다. 7가지로 규정할 경우 그 하위 분야는 아래 내용과 같다.

1. 수의발생학

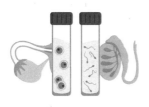

수의발생학(Veterinary Embryology)은 배아 또는 태아를 구성하는 세포들의 기원과 발생 및 성숙을 학습·연구하는 학문이다. 특히 총론으로 각각 암컷과 수컷의 생식세포 발달, 배란에서 출생까지의 일반적인 발생과정을 학습하고 연구한다. 그 이후에 호흡기, 소화기 등 체내 발생계통별로 구체적인 발생과정을 학습·연구한다.

2. 수의생물공학

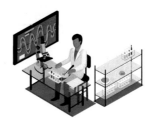

수의생물공학(Veterinary Biotechnology)은 생물학, 미생물학, 생화학 등 전통적인 자연 과학 분야와 유전자 재조합 기술 등과 같은 최신 학문 분야가 융합·응용된 최신 학문 분야를 말한다. 수의생물공학은 다시 유전공학, 세포생물공학, 발생생물공학, 수의생물공학의 4가지 분야로 나눌 수 있다.

3. 수의해부학

수의해부학(Veterinary Anatomy)은 동물의 신체를 구성하는 조직이나 기관의 형태, 위치 및 구조를 연구해 각 조직의 관계나 역할들을 규명하는 학문이다. 이는 '대상, 방법, 범위'에 따라 여러 가지로 다시 나누어 진다. 수의해부학은 기초수의학뿐만 아니라 임상 수의학의 중요한 부분으로서 응용되기도 한다.

4. 수의조직학

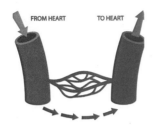

수의조직학(Veterinary Histology)은 수의해부학에서 조금 더 자세하고 구체적으로 변화된 학문으로, 동물의 여러 기관과 조직의 미세구조 및 기능에 관해 연구한다. 미시해부학이라고도 한다.

5. 수의생화학

수의생화학(Veterinary Biochemistry)은 동물 체내에서 일어나는 생리적 기능 확인 및 외부 또는 내부의 조건변화에 따른 동물의 적응 등에 대해 학습·연구한다.

6. 수의약리학

수의약리학(Veterinary Pharmacology)은 생리학, 생화학, 면역학 등 여러 학분 분야의 융합을 바탕으로 전개되는 학문으로, 동물 체내에 약물이 투여되어 배설되기까지의 수량적 변화와 이에 따른 생체의 반응을 연구하는 생화학 분야 중 하나이다. 약을 임상에 사용하는 때도 존재하기 때문에 수의약리학 또한 수의해부학처럼 임상 수의학의 한 분야로서 응용되기도 한다.

7. 수의독성학

수의독성학(Veterinary Toxicology)은 동물이 외부로부터 받은 독성증상의 유발인자 규명과 그 독성작용의 기작과 특이적 독성증상을 이해하고 그에 대한 해독법을 연구하는 학문이다.

출처: 위키백과

다양한 수의학의 분야

예방수의학(Preventive Veterinary Medicine)

예방수의학은 기초수의학, 임상수의학과 함께 수의학의 3가지 분야 중 하나이다. 동물에게 발생하는 AI, 구제역 등과 같은 병의 예방에 중점을 둔 위생학의 한 분야이다.

■ 수의공중보건학

수의공중보건학(Veterinary Public Health Engineering)은 질병의 예방, 생명의 보호 등에 적용되는 수의학적 기술과 과학을 통한 공중보건활동의 하나이다.

수의공중보건학의 하위 분야에는 '수의역학(Epizootiology, Veterinary Medicine Mechanics)', '식품위생학(Food Sanitation)', '환경위생학(Environmental Health)'의 세 가지가 있다.

■ 수의기생충학

수의기생충학(Veterinary Parasitology)이란 기생충과 숙주(host)사이의 상호관계를 연구하는 학문이다. 특히 생화학, 생리학, 세포생물학, 면역학, 약리학 등 다양한 분야의 지식과 연관된 지식을 다룬다.

■ 수의세균학

수의세균학(Veterinary Bacteriology)이란 미생물학 분야 중 하나로 세균이라는 미생물의 분류, 구조, 배양성, 대사 과정, 유전형질의 전달, 질병 발생의 개요 등에 대해 전반적으로 연구하는 분야이다. 이를 완벽하게 이해하기 위해서는 세균의 구조와 특징, 감염병 등에 대해서 추가로 알아야 한다. 또한 수의세균학은 임상수의학을 이해하는데 있어서 가장 중요한 항목 중 하나이다.

■ 수의바이러스학

수의바이러스학(Veterinary Virology)이란 동물에게서 나타나는 바이러스의 성상, 분류, 복제, 유전, 병원성, 예방백신, 역학 등에 관해서 연구하는 분야이다.

■ 수의병리학

병의 원리를 밝히기 위하여 병의 상태나 병체의 조직 구조, 기관의 형태 및 기능의 변화 등을 연구하는 기초 의학을 뜻하는 병리학이라는 말에서 알 수 있듯이 수의병리학(Veterinary Pathology)은 동물을 대상으로 한 병리학, 즉 동물에게 발생하는 병에 관한 연구를 진행하는 학문이라고 할 수 있다.

이는 크게 진단병리학(Diagnostic Pathology)과 실험병리학(Experimental Pathology)으로 나눌 수 있다.

■ 수의면역학

수의면역학(Veterinary Immunology)에서는 여러 가지 면역 현상의 성립 원리와 면역반응, 이에 해당하는 세포군 및 생체 성분에 대해 다루는 학문이다. 생명의 유지와 보수를 담당하는 면역 현상을 다루는 '신체적 자기(Physical Self)'에 대한 학문이기도 하다.

■ 실험동물의학

실험동물의학(Animal Experimentation Medicine)은 수의학 교육과 연구에 있어 꼭 필요한 실험동물의 특성, 질병 진단, 치료, 예방, 번식, 영양, 사육관리, 동물복지, 실험기법 등 수의학, 약학, 의약, 생물학, 분자생물학, 축산학 등 여러 학문 분야의 지식이 융합되어 나타나는 학문 분야이다.

■ 조류질병학

조류질병학(Avian Diseases)이란 조류에게서 나타나는 여러 가지 질병에 관해 연구하고 치료법을 개발하는 학문이다.

임상수의학(Clinical Veterinary Medicine)

임상수의학이란 동물의 병에 대한 진료 및 치료에 중점을 둔 분야이다. 임상수의학은 기초수의학과 예방수의학의 내용을 응용하는 분야라고도 할 수 있다.

■ 수의임상병리학

수의임상병리학(Veterinary clinical pathology)이란 혈액, 오줌, 체강 유출물, 채취된 조직 등의 시료를 화학적, 미생물학적, 혈액학적으로 분석한 결과에 기초하여 질병을 진단하는 학문이다.

■ 수의영상의학

수의영상의학(Veterinary Image Medical Science)은 임상수의학의 가장 중요한 분야 중 하나라고 할 수 있다. 동물들은 어디가 얼마나 아픈지에 대한 표현을 사람처럼 할 수 없고, 사람 또한 동물의 질병에 대해 맨눈으로 관찰할 수 있는 사례가 드물어서 수의학에서는 흔히 말하는 '영상적' 방법을 통해 수의사들은 동물들의 질병을 예측하고 진단한다. 영상의 종류에는 '방사선', '초음파', '컴퓨터 단층촬영술', '자기공명영상(MRI)', '투시 검사법' 등이 있다. 그리고 수의영상의학에서는 다양한 영상들을 서로 비교하고 활용하는 방법들 또한 포함하고 있다.

■ 수의내과학

수의내과학(Veterinary Internal Medicine)은 동물들에 발생한 내과적 질병을 정확히 진단·치료하기 위한 학문이다. 특히 외관상 상처나 병의 종류가 비교적 잘 드러나는 수의외과학과 다르게 수의내과학에서는 그 질병의 종류나 정도를 육안상으로 파악할 수 없다. 또한 말을 통해 증상 등을 표명하는 인간과 다르게 그렇지 못한 동물들의 내적 질병을 치료하는 수의내과학에서는 한 질병에 대해서 동물들이 나타내는 임상 증상을 잘 이해하고 전례로부터 얻은 다양한 결과를 통해 가장 알맞은 진단을 내리고 동물을 치료하는 것이 가장 중요하다.

■ 수의외과학

수의외과학(Veterinary Medicochirurgical)은 동물의 외과적 질환에 대한 기본 처지 방법을 익히는 학문을 말한다. 외과적 수술기구, 마취, 수술 방법, 대표적 외과 질환 등에 대해 학습한다.

■ 수의산과학

수의산과학(Veterinary Medicine Obstetrics)은 인간으로 보면 산부인과의 역할을 하는 수의학 분야라고 할 수 있다. 즉 동물의 삶에서 대단히 중요하게 여겨지는 번식에서 출산까지의 전 과정에 대한 정보들을 다룬다. 또한 호르몬이나 임신 중 질병 등 특별한 요소들에 대한 지식도 함께 다룬다.

■ 수의피부과학

수의피부과학(Veterinary Dermatology)은 동물의 피부에 발생하는 질병을 진단 치료 및 예방하는 임상수의학의 한 분야이다. 여기서는 피부의 구조 및 기능, 피부병변의 구분 및 정의, 피부 검사법, 피부질병 등의 내용을 다루고 있다.

출처: 위키백과

반려동물 어떻게 돌봐야 하는가

반려동물을 입양하면 책임감이 막중한 보호자가 되어야 한다. 반려동물을 행복하게 잘 돌보기 위한 기본 사항들을 이 글에서 자세히 소개하려고 한다. 뻔할 수도 있지만, 보호자라면 반드시 알아두어야 할 사항들이다. 반려동물을 행복하게 잘 돌보는 방법을 확실히 기억해두고 실천하면 앞으로 반려동물과의 삶이 더 건강하고 행복해질 것이다.

중성화 수술

새끼 고양이나 강아지를 더 키울 생각이 없다면 반려묘나 반려견의 중성화 수술은 필수다. 발정기가 오면 반려동물은 신경이 날카로워지고 어떻게든 성적 욕구를 해소하려고 든다. 욕구가 쌓이면 파괴적이거나 공격적인 성향을 보이며 불안과 스트레스에 시달린다. 또한 원치 않는 새끼가 태어날 수 있으니 중성화 수술은 필수다.

양질의 식단 유지

다양한 반려동물 먹이 중에서 저렴한 사료를 고르기 쉽겠지만 반려동물의 건강을 생각한다면 최선의 선택일 수 없다. 반려동물의 품종, 나이대, 몸 크기 같은 요소를 고려하여 가장 알맞은 먹이를 사는 것이 좋다. 특화된 제품은 비싸지만, 장기적으로 도움이 된다. 필수 영양분을 모두 공급하며 지방과 탄수화물 성분 비율은 낮고 단백질 성분이 높은 균형 잡힌 먹이를 고르자.

반려동물에게 애정 표현하기

반려동물은 조건 없이 사랑을 베푸는 믿음직한 친구이므로 상처를 주지 않도록 같은 방식으로 사랑을 되돌려주자. 반려동물에게는 그럴 만한 자격이 충분히 있다. 반려동물도 아무 반응이 없는 사람보다 자신을 아끼고 애정 표현하는 사람을 좋아한다. 보호자와 산책하거나 함께 놀아주는 시간이 없으면 반려동물은 정신적으로 불안하고 불행해질 수 있다.

반려견을 행복하게 하는 운동

운동은 동물에게 무척 중요한 부분이다. 많은 사람이 몇 분 정도만 바람을 쐬면 충분하다고 생각하지만, 전혀 필요한 운동량을 채우지 못한다. 바쁜 일상에서도 반려견과 산책, 조깅 또는 놀이 시간을 마련하자. 충분한 운동은 반려견의 관절, 뼈와 근육을 건강하게 만들며 아드레날린 분비와 스트레스 해소에도 도움이 된다. 함께 움직이면 보호자도 같은 효과를 볼 수 있다.

정기적인 검진

접종, 인식 칩 삽입 등도 기본 관리 사항이다. 우리가 매년 건강 검진을 받는 것처럼 반려동물들도 정기 검진을 받아야 한다. 증상이 없는 질환들도 있으니 정기 검진은 반려동물의 생명을 구하는 일이기도 하다.

위생 유지

목욕뿐만 아니라 발톱, 귀, 치아 같은 신체 부위 관리는 물론 먹이와 물그릇을 매일 씻어주고 잠자는 공간 청소까지 위생 유지도 중요하다.

반려동물을 행복하게 하는 사회화 교육

견주들의 흔한 실수가 다른 개와 만날 기회를 주지 않는 것이다. 싸움이 걱정될 수도 있지만 개도 사람처럼 같은 종과 교류해야 행복하다. 다른 개와 보호자 이외의 사람들과 문제없이 어울릴 수 있도록 사회화 교육을 한다. 사회화 교육을 받은 개는 새로운 만남을 두려워하지 않고 행복하게 받아들일 수 있다.

반려동물 예방접종

사람은 어릴 때부터 수많은 질병에 노출된다. 그러나 백신의 발명으로 오늘날은 영아기부터 부닥치는 각종 질병에 효과적으로 대처할 수 있게 되었다. 우리의 또 다른 가족, 반려동물도 마찬가지로 질병에 취약한 존재다. 그러나 '집에서만 키우니까 괜찮다', '접종시기를 놓쳤다'는 이유로 예방접종을 하지 않고 계속 방치하는 경우가

있다. 그러나 바이러스는 집에서도 언제든지 노출될 수 있다. 또한 광견병의 경우 가축전염병 예방법에 따라 예방접종이 의무이기 때문에 아직 해당 접종을 하지 않았다면 반드시 진행해야 한다.

처음엔 어미의 모유에서 물려받은 면역력을 어느 정도 가지고 있지만, 생후 45일부터 점차 이 면역력조차 약해지기 시작하기 때문이다. 이때 예방접종으로 반려동물이 각종 병원균에 대항할 수 있는 기초적 면역력을 길러줄 수 있다.

반려동물에게 필요한 예방접종 종류는 종, 국가, 지역 등에 따라 달라질 수 있지만, 일반적으로 다음과 같은 것들이 있다. 또한 이렇게 형성된 반려동물의 면역력도 영구적이기 않기에 1년마다 추가 접종이 필요하다.

- **종합백신** : 디스템퍼(홍역), 간염, 파보바이러스, 파라인플루엔자, 렙토스피로시스 예방 성분이 포함되어있다. 생후 6~8주 안에 2~3주 간격으로 총 5회 이상 예방접종한다.

- **코로나장염백신** : 장염을 일으킬 수 있는 α- coronavirus를 예방한다. 현재 창궐한 코로나19는 사람의 호흡기 감염을 일으키는 β- coronavirus로 전혀 다른 종류다. 2~3주마다 총 2~3회 맞으면 된다.

- **켄넬코프 백신** : 강아지들이 많은 공간에서 공기를 통해 감염된다. 기침을 주 증상으로 하고 심하면 폐렴으로까지 이어진다. 생후 6~8주 사이에 한 번 접종 후 2~3주 간격으로 3회 접종해준다.

- **광견병 백신** : 광견병은 사람에게도 옮을 수 있으며 치사율이 높아 반드시 접종해야 한다. 생후 3개월에 1회 접종한다.

- **개 인플루엔자 백신** : 사람과 마찬가지로 강아지도 독감에 걸리며 심지어 사람으로부터 감염되는 경우도 있다. 생후 14~15주에는 2주마다 총 2회 접종한다.

고양이 역시 종합백신과 광견병 백신이 접종될 수 있다. 고양이의 종합백신은 전염성 비기관지염, 칼리시바이러스 감염증, 범백혈구감소증, 클라미디아감염증을 예방한다. 예방접종은 아니지만 심장사상충 및 기타 기생충도 반려동물에게 치명적이다. 모기가 활동하는 철에 반드시 예방약을 반려동물에게 먹이도록 하자.

사랑스러운 반려동물의 예방접종을 결정했다면 반려동물의 건강과 컨디션이 양호한 상태인지 확인해야 한다. 접종 1~2일 전에는 격렬한 운동을 피하고, 접종 3~4시간 전부터는 음식물 섭취는 가능하지만 과식을 금한다. 또한 임신한 반려동물에게는 예방접종은 금물이다. 접종한 후에는 컨디션이 떨어지므로 강아지의 스트레스 및 건강에 신경 써야 한다. 심지어 반려동물 자가접종법에 대한 정보가 돌고 있지만, 수의사가 아닌 사람이 진료 행위를 하는 것은 반려동물의 생명을 위협에 빠뜨릴 수 있어 금물이다.

자료 : 매경헬스(http://www.mkhealth.co.kr)

우리나라의 수의학 변천 과정

수의학은 어떻게 변천되어 왔을까?

수의학은 내과학·미생물학·번식학·병리학·생리학·약리학·외과학·육종학·해부학 등으로 세분되어 있다. 수의는 중국 주나라 때의 직제를 기록한 『주례(周禮)』의 천관편(天官篇)에 보면 식의(食醫) 중사 (中士) 2인, 질의(疾醫) 중사(中士) 8인, 양의(瘍醫) 하사(下士) 8인, 수의(獸醫) 하사(下士) 4인 등 4과 (科)를 두고 있었다고 기록되어 있다. 수의가 기원전부터 중국에 있었으며 짐승들의 병을 치료하였음을 알 수 있다. 우리나라에서 수의학은 어떻게 변천되어 왔을까?

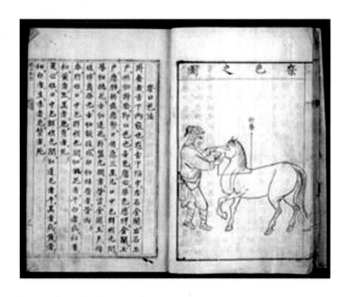

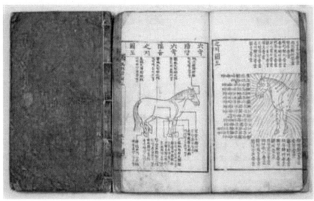

■ 삼국시대

우리나라에서는 예로부터 육식을 하였으며, 또한 전쟁에 필요한 군마를 중요하게 여겨 왔으므로 군마와 함께 식용에 이용할 수 있는 다른 가축들의 병을 예방, 치료할 수 있는 전통적 수의학의 지식을 가졌을 것으로 추측된다.

「삼국사기」에 기록되어 있는 백제의 관제 중에 약부(藥部)·목부(木部) 등과 함께 마부(馬部)가 따로 독립된 것을 볼 수 있다. 이 마부의 직제 중에 수의가 포함되어 있는지는 짐작하기 어려우나 「일본서기」에는 284년(고이왕 51)에 백제가 아직기를 일본에 보내어 양마(良馬) 2필을 주니 일본은 아직기를 시켜 그 말을 기르게 하고 그곳을 구판(廐坂)이라고 부르게 하였다고 기록되어 있다. 595년(영양왕 6) 고구려 승려 혜자가 불교를 선포하기 위해 일본에 건너갔을 때 일본 쇼토쿠태자가 그의 신하인 다치바나를 시켜 혜자로부터 말을 치료하는 술법을 배워서 그 뒤부터 역대로 그 술법을 전하게 하였는데, 이것이 일본 수의술(獸醫術)의 태자류(太子流)라고 부르게 된 것이라고 한다. 삼국시대의 수의학이 일본에 전래되고, 통일신라시대의 의학적 지식과 술법이 고려에 계승되어 왔음을 알 수 있다.

■ 고려시대

「고려사」에 의하면 고려시대에는 말과 가축을 관장하는 관서(사복시 등)를 따로 두어 소·말을 비롯한 여러 가축을 기르고 체계적으로 질병을 관리했다고 한다. 행정적인 제도와 시설을 갖추게 하고 있어 수의학적 지식을 보급하는 데 많은 관심을 가졌을 것으로 짐작할 수 있다. 그러나 수의가 제도적으로 어느 부서에서 어떻게 활동하였는지는 밝혀져 있지 않다. 1076년(문종 30) 때 전시과에 수의박사(獸醫博士)의 관직에 대한 등급과 봉급 등이 나와 있는 정도다.

고려시대의 수의학이 어느 수준까지 발달하였는지 알 수 있는 문헌은 없지만, 고려시대의 전통 수의 지식에 기초를 둔 내용으로 편찬된 조선 정종 1년(1399)「신편집성마의방·우의방(新編集成馬醫方牛醫方)」을 통하여 그 개략을 엿볼 수 있을 뿐이다. 이 책의 서문에 의하면 고려 말의 정승 조준과 김사형의 명으로 권중화와 한상경이 모든 방서 중에 효력 있는 방문(方文)과 동인(東人)들이 이미 경험한 술법들을 채집하여 편집한 것이라고 쓰여 있는데 이 책이 송·원나라 때의 우마방서(牛馬方書)와 동인들의 경험방을 수집한 고려시대의 수의학 전통 지식을 이어 온 것이라는 점을 알려주고 있다. 고려시대에 이미 학술적 체제를 갖춘 수의학 전문서인 마의방과 우의방이 널리 보급되었으며, 특히 수의방에 대한 동인들의 경험방들이 널리 실용되어 온 것임을 알 수 있다.

■ 조선시대

조선시대에는 건국 초에 관제를 정할 때 고려의 직제를 이어받아 중앙에 관서(사복시)를 두어 군마와 가축을 관리하는 일을 맡게 하였으며, 그 밖에도 종묘제례의 쓰일 가축과 잡축을 기르는 곳, 우유를 얻기 위한 우유소(牛乳所)가 따로 나누어져 있었다. 그리고 제주도에는 말을 체계적으로 관리하기 위해 축마별감(畜馬別監)을 두었으며 각 도에는 목장을 설치하고 각 목장에는 감목관(監牧官)을 두어 말·소들의 관리와 사육에 관한 일을 전담하게 하였다. 또 각 역에는 반드시 상당수의 역마(驛馬)를 배치하여 국가의 공용이나 군사의 응급에 수용하게 하였으며, 사복시에 소속된 마의(馬醫)들이 상당수 배치되었다. 이러한 행정제도와 함께 말·소 및 잡축들의 질병을 예방, 퇴치하기 위하여 수의학적 지식과 그 보급에 상당한 노력을 하였을 것으로 짐작된다.

1463년에는 일반 의경(醫經) 및 모든 방서 중에서 양우법(養牛法)을 뽑아 간략히 정리해 의생(醫生)이 학습하게 하는 등 각 왕조마다 수의학을 권장하는 데 많은 힘을 기울여 왔다. 1494년(성종 25)에 송나라 「안기집」과 청나라 「수우경(水牛經)」 등 수의서를 번역·반포하여 말·소의 치료법을 널리 쉽게 알게 하였다. 「산림경제(山林經濟)」의 목양편과 「고사신서(攷事新書)」의 목양문에도 양우·양마·양양·양계·양어·양봉·양학·양록·양아금 등으로 나누어 각 수(獸)·어(魚)·금(禽)들의 사육에 필요한 방법과 질병의 처방에 대해 자세히 기술되어 있다. 조선시대에는 수의학적 지식이 수의전문가들 이외에 일반인들이 알아야 되는 상식의 하나로 널리 보급되어 왔음을 알 수 있다.

■ 근대

근대에 들어 이전의 수의학 전통이 거의 그대로 계승되었으나 1894년 갑오개혁 때 행정제도가 전면적으로 새로 개편되었는데, 수의학 교육도 서양 수의학을 중심으로 실시하게 되었다. 수의학의 행정제도는 위생과에서 가축들의 역병 예방 및 치료에 관한 사무를 관장하게 하였으며, 그 밖에 내부 직할 병원인 광제원(廣濟院)에서도 가축의 병독을 검사하는 일을 맡아 왔다.

1909년 법령으로 가축의 도살에 관한 규정들을 엄격하게 실시하도록 하였다. 이와 함께 「수출우검역법」을 반포하여 외국에 수출하는 소들의 우역(牛疫)·탄저 및 유행성아구창 등에 대한 검사 규정을 실시하였다. 군부에서는 1900년에 포병대대를 설치하면서 군의관 이외에 1·2·3등의 수의들을 따로 배치하였으며, 1904년에는 군무국 안의 기병과에 수의부를 따로 설치하고 군마의 위생·사육·공급·증발 등 모든 업무를 맡았다. 수의학 교육은 군무국 기병과에서 임시로 실시하여 왔으나, 그 뒤에 관립 수원 농림학교에 수의과를 따로 설치하고 수의를 양성하기 시작하였다.

1915년에 처음으로 「수역예방령」을 제정, 실시하기 시작하였다. 이는 소·말·양·산양·돼지·개 등에서 발생하는 우역·탄저·기종저(氣腫疽)·비저(鼻疽) 및 피저(皮疽)·유행성아구창·돈콜레라·돈라스역·광견병 등을 예방하고자 한 것이다. 이 예방령은 각 가축 질병의 특수성에 따라 질병의 예방과 접종에 필요한 예방액·진단액·면역혈청의 주사 또는 가축 질병 유행 지역의 방역 및 소독 방법들이 반드시 의무적으로 실시하도록 규정하였다. 또 방역을 전담하기 위하여 경찰수의를 따로 두었는데, 때에 따라서는 임시로 육군 수의나 그 밖의 전문 수의들을 경찰수의로 위촉시켜 수역의 방역사무를 분담하게 하였다. 1915년 7월에는 법령으로 식용을 목적으로 하는 가축들의 검역 규정을 강화하여 가축을 옮기기 전에 18~20일 동안 억류해 두면서 병독의 오염에 대한 예방과 소독을 엄밀히 하게 하였다. 1937년에는 수원고등농림학교에 수의축산과를 설치하고 전문 수의들을 양성하기 위한 교육을 하기 시작하였다.

■ 해방 이후

1946년 8월 국립 서울대학교 수원농과대학에 수의학과와 축산학과가 농과대학의 수의학부로 출발하였으며, 1953년 4월에 서울대학교의 수의과대학으로 개편되었다. 1974년에 예과(豫科) 2년의 과정을 두는 6년제 대학으로 한때 개편되었으나 1976년부터 예과 과정을 폐지하고 다시 4년제 수의과대학으로 환원되었다. 그러나 수의학 분야를 세분화한 교과과목과 기초학의 중요성이 인정되어 1998년 신입생부터는 2년의 예과 과정을 두는 6년제 대학으로 거듭나게 되었다.

2015년 현재 우리나라의 국립 수의학 교육기관으로는 서울대학교의 수의과대학을 비롯하여 경북대학교·경상대학교·전북대학교·전남대학교·충북대학교·충남대학교·강원대학교·제주대학교에 수의과대학이 있다. 사립으로는 건국대학교에 수의과대학이 있다. 이들 10개 수의학 교육기관은 다변화되고 있는 수의학 연구와 전문 수의사들 양성에 힘쓰고 있다. 최근의 수의학 분야는 과거에 소·말, 그리고 돼지 등 대·중 동물 위주의 방역이나 질병 예방에 대한 임무를 수행하였지만, 최근에는 그 범위가 점차 넓어져 매우 다양하게 전개되고 있다.

즉, 가축의 대상도 대·중 동물 이외에 개·고양이 등 애완동물에 관한 관심이 각별해지고, 그에 따라 가축이나 애완동물에서 전파될 수 있는 인수공통전염병(人獸共通傳染病)에 대한 업무가 대폭 강화되었다. 또한 최근에는 소비자들의 안전축산물에 대한 관심이 증가하게 되어 축산물의 안전성에 대한 업무가 대폭 증가함에 따라 지금까지 보건복지부와 농림부에 이원화되어 있던 축산식품관리업무를 1998년부터 농림부로 일원화함으로써 수의사들에게 주어진 임무와 역할이 막중하게 되었다. 이러한 수의 분야의 축산식품관리업무가 농림부로 일원화됨에 따라 수출입 동물 및 축산물의 검역 검사를 담당하던 국립동물검역소와 국내 가축 질병 방역과 그와 연관된 연구업무를 담당하던 국립수의과학연구소가 통합되어 국립수의과학검역원으로 탄생하였다.

국립수의과학검역원은 국가가 필요로 하는 기초 과학을 비롯하여 국내 질병 방역·검역, 그리고 축산식품 안전성 확보를 위한 축산물검사 등 모든 기술개발과 행정서비스를 책임지고 수행할 수의 분야의 유일한 국가기관이다. 또한 이러한 행정·제도적으로 국가의 정책을 입안하기 위한 국가 정책 부서로는 농림부 축산국에 축산위생과를 두어 수의 업무 전반에 대한 행정업무와 가축들의 위생과 방역 등을 관장하고 있으며, 방역·검역·축산물위생·수의 분야 등으로 구분하여 그 업무를 담당하고 있다. 그리고 군(軍)에서는 의무감실에 수의병과를 두어 수의관으로 하여금 군의 식품위생·환경위생·군용동물의 질병 예방 및 진료 등을 전담하게 하고 있다.

현재 수의학의 학술연구단체로는 대한수의학회·한국임상수의학회·한국수의공중보건학회·한국실험동물학회 등이 설립되어 있어 수의학 분야의 전반적인 학술 활동을 담당하고 있으며 수의사들의 권익 신장 및 복지향상을 목적으로 (사)대한수의사회를 설립하여 전국 각 시도에 지부를 두고 있다. 이처럼 현재 우리나라 수의학 분야는 국가 경제 발전에 발맞추어 최근 급신장하고 있는 축산업 및 수산업과 함께 동물의 보건과 환경위생 및 각종 질병의 예방과 진료는 물론 특히 인수공통전염병의 예방과 진료를 담당함으로써 동물식품의 위생검사와 더불어 사람의 보건증진과 방역에도 이바지할 뿐만 아니라 축산업과 수산업 발전에 크게 기여하고 있다.

출처: 한국민족문화대백과사전

다른 나라의 수의사 제도

국내법에 따르면 수의사는 전문의가 따로 없다. 따라서 우리 나라의 수의사는 석박사 과정으로 전문의 과정을 대신해서 취급 한다. 즉, 안과전문동물병원은 안과전문의가 아니라 안과학을 더 공부한 석·박사가 진료한다는 뜻이다.

반면 미국이나 일본 등의 수의 선진국에서는 전문의 제도가 있 고, 우리가 흔히 아는 내과, 외과 전문의 등을 넘어서 기초·예방의 학 분야에서도 전문의 자격이 존재한다. 기초·예방 분야에서 대 표적인 것이 미국의 미국수의병리학전문의(DACVP)나 미국수의미생물학전문의(DACVM). 임상에서 는 외과, 피부과 등은 물론이고 사람과 달리 치과가 분리되지 않았기 때문에 수의치과학전문의도 존재 한다.

이러한 전문의 자격 등은 한국의 면허로도 전문의 자격(보드)을 딸 수가 있다. 이러한 전문의는 미 국 등의 선진국에서는 꽤 보편화하고 있으며 실제로 미국의 진료환경은 의원급, 1차, 2차로 세분되어 각각 진료를 보는 범위가 명확히 정해져 있는 편이다. 이 경우 전문의와 학위 과정은 구분되는데, 일례 로 외과전문의 인증을 취득했다고 해서 외과학의 석사나 박사가 되는 것은 아니다. 이러한 제도는 임 상 분야뿐만 아니라 비임상분야(병리학, 미생물학 등)에서도 전문의 과정과 학위 과정이 모두 존재한 다. 하지만 여전히 한국에 오면 법적으로는 그냥 수의사에 불과하다. 당연한 얘기지만 교수를 하기 위 해서는 학위과정이 필수이며, 전문의는 덧에 불과하다.

전문의의 경우 아시아권 국가에서도 전문의 제도를 준비 중이긴 하나 아직 갈 길이 많이 남은 편. 실 제로 전문의 제도 도입은 현재 한국 수의대의 가장 큰 이슈 중 하나인데, 전문의 제도 도입 시 어느 가 이드라인을 따를지, 또 현재의 교수진(해외 보드 미취득자 및 기취득자)을 평가할 사람은 누구인지 혹 은 실질적인(De Facto) 전문의를 인정할지(교수진 자질 문제), 학회 간의 갈등은 어떻게 해소할지 등에 대한 현안들이 매우 복잡하게 얽혀 있다.

출처: 나무위키

동물보호법 개요

제1조(목적) 이 법은 동물에 대한 학대행위의 방지 등 동물을 적정하게 보호·관리하기 위하여 필요한 사항을 규정함으로써 동물의 생명보호, 안전 보장 및 복지 증진을 꾀하고, 동물의 생명 존중 등 국민의 정서를 함양하는 데에 이바지함을 목적으로 한다.

제6조(다른 법률과의 관계) 동물의 보호 및 이용·관리 등에 대하여 다른 법률에 특별한 규정이 있는 경우를 제외하고는 이 법에서 정하는 바에 따른다.

제44조(권한의 위임) 농림축산식품부장관은 대통령령으로 정하는 바에 따라 이 법에 따른 권한의 일부를 소속 기관의 장 또는 시·도지사에게 위임할 수 있다.

동물보호법(動物保護法)은 동물 학대를 방지하는 등 동물을 보호하고 관리하기 위해서 제정한 법이다. 보호 대상은 척추동물의 일부에 한한다.

즉, 이 법에서 "동물"이란 고통을 느낄 수 있는 신경 체계가 발달한 척추동물로서 다음 각 목의 어느 하나에 해당하는 동물을 말한다(제2조 제1호).

· 포유류

· 조류

· 파충류·양서류·어류 중 농림축산식품부장관이 관계 중앙행정기관의 장과 협의를 거쳐 대통령령으로 정하는 동물.

2017년 7월 26일 현재, 파충류, 양서류 및 어류도 '식용(食用)을 목적으로 하는 것 외에는' 동물보호법의 적용대상으로 규정되어 있다. (영 제2조).

이 법에 따라 동물의 소유자 등이 여러 법적 의무를 지는데, "소유자 등"이란 일시적 또는 영구적으로 동물을 사육·관리 또는 보호하는 사람을 말한다(제2조 제3호)

출처: 나무위키

특이한 반려동물

라쿤

식육목 아메리카 너구릿과의 포유류 동물.

한국에서는 흔히 '미국너구리' 또는 '라쿤'으로 알려져 있다. 개곰이라도 불리기도 하지만, 그냥 너구리로 잘못 인지하는 사람이 훨씬 많은 편이다. 크기는 몸길이 40~140cm, 어깨높이 20~40cm, 몸무게 5~29kg 정도다. 천적은 퓨마, 재규어, 코요테, 캐나다스라소니, 늑대, 회색곰, 울버린, 아메리카흑곰, 흰머리수리, 악어, 대형 뱀이다. 가까운 종으로 남미 대륙에 사는 코아티가 있다.

라쿤은 희귀 동물이라서 사료가 따로 없다. 과일이면 과일 견과류면 견과류 등 이것저것 잘 먹지만, 고양이 사료와 강아지 사료를 섞어서 주는 편이다. 또한 짖지도 않아서 소음 문제도 없고 용변도 알아서 잘 가린다. 친화력도 좋아서 산책도 좋아하는 이색 반려동물이다.

고슴도치

넓은 의미로는 고슴도치과(Erinaceidae)에 속한 포유류의 총칭이고, 좁게는 국내 서식종인 고슴도치(Amur hedgehog, Erinaceus amurensis)를 가리킨다. 국내 서식종 기준으로 자연 서식지는 러시아 아무르와 연해주, 중국 중앙부에서 동부(남부 해안가와 북부 제외), 만주, 한반도 등지이다. 애완용으로 기르는 종은 한국 고슴도치가 아니라 아프리카산의 네발가락고슴도치(Four-toed hedgehog, Atelerix albiventris)와 알제리고슴도치 (Algerian hedgehog, A. algirus)의 교배종이다

원래 야행성인 고슴도치는 지렁이 같은 환형동물과 벌레나 곤충을 포함해서 절지동물들을 주로 먹는다. 집에서 키우게 되면 이러한 벌레들을 먹이로 주어야 할 것 같다. 그리고 고슴도치는 수박, 오이, 참외 같은 과일 종류들도 같이 먹는 잡식성 동물이다.

왈라비

호주가 원산지인 왈라비는 캥거루의 사촌 정도 된다.  왈라비는 최대 1미터 정도까지 자랄 수 있으며, 몸무게는 약 25킬로 전후까지 나간다. 귀염성이 많은 대신, 캥거루처럼 점프 능력이 월등히 뛰어나다는 것을 인식해야 한다. 그러므로 제한된 공간보다는 야생 캥거루처럼 뛰어넘고 달릴 수 있는 널찍한 운동장이 필요하다. 먹이로는 풀, 나뭇잎, 과일 등이 필요하지만, 과체중을 조심해서 키워야 한다. 왈라비는 사회성이 강하기 때문에 최하 한 쌍을 키워야 한다. 왈라비를 애완용으로 키우기 위해서는 좁은 도심에서는 어렵고, 넓은 정원과 울타리가 필요한 곳이어야 한다. 그리고 야행성이고 잘 길들지 않는다는 것을 염두에 두어야 한다.

슈가 글라이더 [유대하늘다람쥐]

유대류에 속하는 포유동물의 한 종류. 쌍절치목에 속하며 외형에서 보듯이 날다람쥐에 상응한다. 수입종이므로  한국명인 유대하늘다람쥐보다는 '슈가 글라이더'라는 이름으로 불리는 경우가 지배적이다. 유대하늘다람쥐의 특징이 글라이더처럼 비행한다는 점이므로 '슈가 글라이더'라는 이름이 특징을 보다 직관적으로 나타내 보일 수 있다. 또 '슈가'란 이름이 귀여운 외모와 매치가 되는 부분도 있다.

슈가 글라이더는 날다람쥐의 한 종류다. 수명은 9년 정도다. 주로 어린싹, 꽃의 꿀, 수액 등을 주 먹이로 한다. 애교가 많아서 사람을 올라타고 놀기도 하고 아이큐가 높은 반려동물이다. 무려 아이큐가 85나 된다고 한다. 지능이 높아서 주인과 함께 교감까지 나눌 수 있다고 한다. 슈가 글라이더는 야행성이라서 낮에 보금자리에 숨어있다가 밤이 되면 나와서 하늘을 날아다닌다. 과일이나 채소를 주식으로 삼고 견과류는 간식으로 주면 따로 먹이를 구매하지 않아도 기를 수가 있다. 강아지용 배변 패드를 깔아두면 그 자리에 용변을 볼 정도로 똑똑하다.

페럿

페럿은 족제빗과에서 유일하게 가축화된 동물이며, 야생종인 긴털족제비(European polecat, Mustela putorius)의 아종 중 하나로 분류된다. 예전엔 토끼 사냥에 쓰였지만, 요즘은 반려동물로 키우는 사람이 많다. 앵무새(parrot)와 구분 짓기 위해 '페릿'이라고 부르기도 한다. 다른 족제빗과 동물들은 모피가 매우 부드러워 가죽을 얻기 위해 사육된 후 대량 학살되는 반면, 페럿은 털이 살짝 거친 면이 있기에 반려동물로서 키워지게 되었다. 어떻게 보면 부드럽지 않은 털 덕분에 족제빗과 중에서 축복받은 경우일지도 모른다.

강아지와 고양이의 성격을 짬뽕시켜놓은 듯이 사람을 잘 따라주고 머리도 똑똑하기 때문에 힘들게 배변훈련을 안 해도 되는 장점이 있다. 하지만 변 냄새가 지나쳐 실내에서 사육할 때 어려움을 느낄 수도 있다. 단백질이 많이 있는 패럿용 전용 사료를 주어야 한다. 일반적인 고양이, 강아지 사료를 주면 단백질 결핍이 올 수 있다

카피바라

남미 대륙에서 가장 큰 설치류 과인 카피바라는 1.2m까지 자라고 몸무게는 약 45kg에 이른다. 물과 육지에서 생활하는 탓에 길들이기 힘들고, 서식 환경을 만들어서 애완동물로 키우기도 여간 까다롭고 번거롭지 않을 것이다. 수영장이나 커다란 웅덩이가 필요하다. 도심의 욕조만으로는 감당하기 힘들 것이다. 또한 신선한 잔디를 즐겨 먹고, 식수도 깨끗한 것을 즐긴다. 그리고 행동반경이 넓기에 도심에서 애완용으로 키우기에는 부적절하다. 그리고 개나 고양이처럼 끌어안거나 갇힌 듯한 분위기에서는 키울 수가 없다. 또한 자신들의 영토를 표시하기 위하여 이빨로 긁을 수도 있다.

우파루파[아홀로떼]

스페인어로는 Ajolote(아홀로떼), 학명은 Ambystoma mexicanum. 아홀로틀이란 말은 나와틀어 아숄로틀 (Āxōlōtl)에서 유래하였다. 여기에 얽힌 전설이 있는데, 아즈텍 신화에서 5번째로 만들어진 해와 달을 움직이게 하기 위해서는 희생의 제물이 필요했는데 가장 처음으로 선택된 이가 개의 머리를 한 숄로틀(Xolotl)신이었다. 숄

로틀은 제물이 되길 거부하고 울며 도망쳤고 밭에선 옥수수로, 숲에선 마게이로 둔갑하여 숨었지만 발각되어 쫓기게 되자 최종적으로는 도롱뇽으로 변해 물속으로 뛰어들었다는 것. 하지만 결국 붙잡혀 심장이 도려내지게 된다.

반투명한 몸매를 자랑하는 우파루파는 그 생김새 때문에 호불호가 갈리는 애완동물이다. 6개의 뿔이 용을 연상시키는 모습으로 유명한 반려동물이다. 우파루파는 수온에 매우 민감한 동물이다. 18~24도의 낮은 수온을 유지해 주어야 한다. 야행성인 우파루파는 어두운 환경으로 조성해주는 게 좋다. 또한, 우파루파는 피부가 약한 편이라 어항 속에 인공수초나 조형물들은 치워주는 게 좋다.

수의사 관련 도서 및 영화

관련 도서

미리 가보는 수의학 교실 (충북대학교 수의학교재편찬위원회 저/ 충북대학교출판부)

이 책은 수의학을 공부하고자 하는 사람들에게 꼭 필요한 것이라고 말할 수 있다. 수의과대학 진학을 선택하기 전에 수의학이 어떤 학문인지 그 성격이라도 제대로 알아야 할 필요가 있기 때문이다. 수의학은 동물의 질병을 진료할 수 있는 임상수의사를 길러내기 위하여 존재하는 학문이다. 수의과대학 교육의 목표는 수의사의 양성에 있되 학문의 목표와 교육의 결과는 임상수의사의 양성에 국한되지 않는다. 수의사는 동물을 진료하는 일 외에도 다른 중요한 일들이 너무 많이 있다.

동물이 좋아서 수의학과에 진학했다는 경우를 많이 보게 되지만 동물을 좋아하지 않더라도 수의학은 매우 매력적인 학문이다. 동물을 별로 좋아하지 않는 사람도 좋은 수의사가 될 수 있다. 또한, 수의학과에 진학하고자 하거나 수의학에 관심이 있는 사람이라면 본서를 반드시 읽어 볼 것을 추천한다.

살아있는 것들의 눈빛은 아름답다 (박종무 저/ 리수)

저자는 올해 중학교에 들어간 둘째 딸 리준이와의 대화 형식을 빌려 우리가 일상에서 접하는, 동물들의 제반 문제에 대해 매우 알기 쉬운 언어로 설명해주고 있다. 리준이의 질문은 아주 보편적이면서도 단도직입적이고 아빠의 대답은 상세하면서도 체계적이다. 저자의 글은 단자의 글은 단지 동물 복지나 사회적 소수자들의 권리에 관심 있는 사람으로서의 관념적 이해가 아니라, 아주 오랫동안 동물병원을 운영하면서 접했던 실제 사례들과 동물 보호운동의 현장경험을 살려 이야기함으로써 진정성과 구체성을 돋보이게 했다.

유쾌한 수의사의 동물병원 24시 (박대곤 저/ 부키)

서울 어느 곳, 작은 병원. 사람을 치료하는 곳이 아니라 동물을 치료하는 곳이다. 그곳에 동물을 너무나 사랑하는 수의사이자 병원 원장 한 사람이 있다. 개원 10년 차 온 동네 개들이 미워하는 이 병원 원장이 동물병원에서 일어난 일들을 재미있게 엮어냈다. 한마디로 배꼽 잡은 동물병원 일기다.

사람들은 동물을 예뻐라 하면서 정작 자신이 키우는 동물이 건강하게 사는 방법은 모르며 또 알려고도 하지 않는다. 동물의 병을 고치는 수의사로 살아온 세월이 벌써 십여 년. 재치 넘치는 이야기 속에 개나 고양이를 키우는 사람이라면 알아야 할 모든 것을 이 책 안에 담았다.

Dr. Lee의 미국 수의사 도전기 (이기은 저/ 생각나눔)

저자가 한국 수의대를 졸업한 후 미국 수의사 면허를 따기 위해 오클라호마 수의대 과정을 이수하면서 총 52주 동안 개, 고양이, 말, 농장 동물, 진단과 등을 이수하면서 경험했던 에피소드를 담고 있다. 입원해 있던 말이 탈출하고, 쥐약을 먹은 강아지가 피를 흘리면서 응급실로 들어오고, 배가 빵빵하게 부풀어 오른 소를 치료하는 등의 우리가 직접 경험하기 힘든 내용을 사실적인 묘사와 재미있는 글솜씨로 풀어내고 있다.

『Dr. Lee의 좌충우돌 미국 수의사 도전기』에는 수의사를 꿈꾸는 또는 수의사가 되기 위해 공부하고 있지만, 졸업 후 진로를 정하지 못한 사람들에게 좋은 이정표가 되고자 수의사 과정에 대해 자세히 설명한다. 특히 우리나라에 정보가 별로 없는 미국 수의대 훈련 과정을 경험한 그대로 보여주고 있다. 또한, 현장에서 개, 고양이가 자주 걸리는 질병을 직접 치료한 경험을 최대한 쉽게 이해할 수 있도록 서술해서 반려동물을 키우고 좋아하는 사람들에게도 하나의 참고서 역할을 한다.

인류 역사를 바꾼 동물과 수의학 (임동주 저/ 마야)

인간에게 동물은 무엇인가?

인간과 동물의 상호 관계를 생각하면서 인류 역사와 사회를 통찰해 보는 색다른 책이다. 수의학 지식의 대중화를 역설하는 책이기도 하다. 수의학자인 저자는 동물이 없었다면 현대 문명은 불가능했을 거라고 말한다. 인간은 동물에게 빚을 지고 있다고 주장한다.

동물을 사냥감으로만 생각하지 않고, 데려다 사육하고 다룰 줄 알게 됨으로써, 인류는 단지 식량 문제만 해결한 것이 아니라, 동물의 여러 가지 능력을 생활에 필요한 여러 분야에서 활용하게 됐고, 그 힘이 현대 문명으로까지 이어졌다는 것이다.

수의사가 말하는 수의사
(김영찬, 양효진, 유도현, 구자동, 권태억, 홍영호, 이쉴, 정태성, 이일범, 이영철, 김용상, 김준걸 외 10명 저/ 부키)

이 책에는 수의사의 고단한 일상과 치열한 삶의 단면이 적나라하게 드러난다. 그러나 이 책은 무겁지 않다. 말 못 하는 동물들을 진료하면서 겪는 여러 가지 에피소드와 어처구니없는 실수, 뱀에 물리고 악어에게 쫓기면서도 결코 치료를 포기할 수 없었던 긴박한 상황, 때로는 목숨을 걸어야 하는 실험 등이 솔직담백하고 흥미진진하게 전개된다. 이 책을 가볍게 읽다 보면 '생명 존중'이라는 사명을 다하면서 사람과 동물이 조화를 이루며 평화롭게 살아가기를 바라는 수의사들의 소박한 소망까지 읽을 수 있다. 이 책은 수의사를 희망하는 이 땅의 청소년들과 수의사의 세계에 관심이 있는 일반인들에게 수의사가 어떤 일을 하는지, 생활은 어떤지, 보람과 고충은 무엇인지 알려 주는 수의사 입문서로 손색이 없다.

나의 직업 수의사 (청소년행복연구실 저/ 동천출판)

'수의사를 꿈꾸는 청소년들에게 수의사에 대한 모든 정보를 주는 책'

사람과 동물의 관계는 무엇일까? 동물을 식용이나, 도둑을 경계하는 수단으로 생각하다가, 현대사회에는 친교적인 관계로 인식하면서 사회적인 분위기가 바뀌게 되었다. 따라서 많은 펫샵과 동물병원이 생기게 되었고, 동물 학대에 대한 논쟁이 많이 이루어지고 있다. 수의사는 동물병원에서만 일하는 것이 아니라 공무원, 학계, 수의장교 등 다양한 곳에서 활동하고 있다. 종류마다 그 역할이 다른데, 책에 나와 있는 자세한 설명을 통해 수의사라는 직업을 이해하는 데 도움이 될 수 있다고 본다. 이 책은 수의대를 준비하는 방법과, 수의사 국가자격시험에 관한 정보를 주고 있으며, 수의사와 함께 일하는 직업에 대한 소개도 들어있다.

관련 영화

워터 포 엘리펀트 (2011년/ 120분)

갑작스러운 부모의 죽음으로 모든 것을 잃은 수의학과 청년 제이콥은 일자리를 찾아 우연히 '벤지니 서커스단'의 기차를 타게 된다. 그곳에서 제이콥은 서커스단 최고의 스타이자 단장의 아름다운 아내 말레나를 보고 첫눈에 반하게 된다. 동물에 관한 해박한 지식을 이용해 서커스단의 막일꾼이자 동물 관리인으로 일하게 된 제이콥은 서커스단과 함께 순회공연을 다니며 새로운 인생을 시작한다.

변덕스럽고 폭력적인 남편과의 관계에 순응하며 사는 말레나는 제이콥을 통해 활기를 되찾게 된다. 서커스단의 스타이자 말레나의 쇼 파트너인 코끼리 로지를 돌보며 특별한 우정을 만들어 가던 제이콥과 말레나는 더욱더 깊은 사이가 되어가고, 두 사람의 관계를 눈치챈 남편 어거스트는 거세게 둘 사이를 방해한다. 남편의 폭력이 강해질수록 말레나는 인생에 단 한 번 찾아온 사랑에 모든 희망을 걸게 된다.

고양이와 개에 관한 진실 (1996년/ 97분)

라디오 DJ인 에비는 못 생기고 키도 작지만, 똑똑하고 유머가 있다. 에비의 이웃집엔 날씬하고 키가 큰 모델 노엘이 산다. 어느 날 에비는 영국인 사진작가 브라이언의 전화를 받고 문제를 해결해준다. 라디오에서 들리는 그녀의 목소리와 지성, 유머에 반한 브라이언은 그녀에게 데이트를 청하고, 외모에 자신이 없는 에비는 노엘에게 부탁해서 대신 데이트를 시킨다. 하지만 노엘은 브라이언에게 반해버리고 노엘은 자신이 에비라는 것을 숨기지만...

돌핀 테일 (2011년/ 113분)

게 그물에 걸려 꼬리가 잘리며 다친 채 구출된 큰돌고래 윈터와 친구가 된 소년 소이어의 모습을 지켜보던 이들이 인공 꼬리를 제작하는 과정에서 일어나는 갈등과 눈물.

그리고 마침내 인공 꼬리 제작에 성공하여 윈터를 다시 헤엄치게 해준다는 줄거리의 가족 드라마.

동물원 (2017년/ 97분)

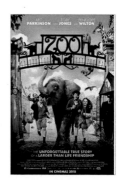

1941년 벨파스트. 어린이 톰(아트 파킨슨, 〈왕좌의 게임〉 출연)의 아버지는 동물원에서 일하는 사육사이다. 하지만 어느 날, 동물원의 새로운 식구인 아기 코끼리 버스터와 가족을 뒤로하고 군대에 입대하게 된다. 독일군의 공습으로 동물원의 안전이 위협받자, 톰과 말썽꾸러기 친구들은 동물을 사랑하는 괴짜의 도움을 받아 버스터 구출 작전에 나선다.

실제 이야기를 토대로 한 이 영화를 통해 작가 겸 감독인 맥아이버는 강한 용기가 불러오는 희망에 관한 이야기를 선사한다. (2018년 제6회 순천만세계동물영화제)

정글리 (2019년/ 110분)

아버지의 코끼리 보호 구역으로 귀환하여 국제 밀렵꾼 라켓을 만나고 싸우는 수의사를 중심으로 전개되는 인도 영화.

수의사 라즈는 코끼리 보호소를 운영하는 아버지 디판카르를 만나기 위해 10년 만에 귀가한다. 오랜만에 만나 교감하는 코끼리들과 라즈. 하지만 그들은 상아를 탐내는 밀렵꾼 케샤브로 인해 위험에 처하게 된다.

패자부활전 (1997년/ 100분)

동물원 수의사인 민규는 동물들의 잦은 사고와 돌발적인 질병으로 하루도 편할 날이 없다. 민규의 불규칙한 생활에 애인 화영은 결별을 선언하고 새로운 남자를 만난다. 사진작가 은혜는 오랫동안 사귀어온 화가 진우가 화랑의 큐레이터인 화영과 만나는 것을 알고 자존심이 상한다.

해결 방법을 모색하던 은혜는 화영의 옛 애인 민규를 찾아가 두 사람에게 복수할 것을 제안한다. 은혜가 복수를 위해 그들에게 접근하자 민규는 옛사랑인 화영을 보호하고자 은혜를 따라나선다. 그 과정에서 진우와 화영이 결혼한다는 소식을 들은 두 사람은 서로의 상처를 보듬어 준다.

닥터 두리틀 (2020년/ 101분)

동물들과 소통하는 특별한 능력을 지닌 닥터 두리틀은 사랑하는 사람을 잃고 세상과 단절한 채 동물들과 친구가 되어 살아간다. 어느 날, 여왕에게 알 수 없는 불치병이 생기고 왕국마저 위험에 빠지게 되자, 그의 놀라운 능력만이 모든 것을 해결할 수 있음을 알게 된다.

세상을 구하기 위해서는 반드시 주어진 시간 안에 누구도 가보지 못했던 신비의 섬을 찾아내야만 하고, 두리틀은 친구들과 함께 위험천만한 모험을 떠나게 되는데...